porno política

OBJETIVA

porno política

paixões e taras na vida brasileira

arnaldo jabor

OBJETIVA

Amor, sexo e um outro sentimento

JÁ PASSEI POR caminhos de amor e sexo, mas não sei a resposta; tudo fica difuso quando tento me lembrar dos grandes momentos de êxtase. O prazer se esvai na memória. Já amei mulheres só depois que as perdi. Já odiei ser amado, já amei por narcisismo. Quantos "amam" para humilhar o outro com seu "imenso" amor? Quantos "amam" por egoísmo?

Nos anos 70, amor e sexo passaram por uma revolução meio confusa. As paixões eram súbitas, e as separações, sem aviso. Sumira do amor o desejo de eternidade, havia um sexo experimental no ar que almejava o "desregramento de todos os sentidos", em busca de um nível mais alto de consciência. Eram caretas a possessividade, a fidelidade. Os casamentos e namoros firmes perderam o rumo, pois nos faltavam as regras da tradição. No entanto, as emoções fundamentais estavam ali, disfarçadas, mas presentes: posse, ciúme, medo.

O que faz o amor tão inquietante é o medo da rejeição, da perda do objeto ou, mais simplesmente, da dor-de-corno. Eu já sofri monumentais dores-de-corno, e elas me ensinaram muito. Acho mesmo que o homem só vira homem quando recebe chifres didáticos. Só aí o macho onipotente conhece o desespero da condição humana. A dor-de-corno é física, é uma experiência de morte. A mulher te diz: "Vou embora com fulano porque não te amo mais!" Aí, você morre. E a pessoa perdida passa a ter um halo divino. Eu já escalei muro com cacos de vidro para ver a janela acesa de uma amada, eu já rolei no meio-fio por causa de mulher. Se o amor te preenche de sentido, a dor-de-corno te feminiza, te exclui do universo, você fica ridículo, pois o corno não inspira compaixão, apenas um deboche dissimulado. Por isso, vou narrar um caso que nunca contei para ninguém.

Uma vez, há mais de trinta anos, fui largado por uma mulher, assim... de repente. Ela entrou em casa de madrugada e declarou: "Vou embora com fulano amanhã de manhã." E desmaiou num sono profundo e desesperado. E eu fiquei sentado, ouvindo o pêndulo do relógio até o dia clarear na janela, como uma ferida se abrindo. Nada pior que sofrer de manhã. É mais terrível a solidão com o sol na cara, na rua, as pessoas trabalhando, rindo, e você como um zumbi na cidade irreconhecível. Copacabana virou um pesadelo nos dias seguintes. Eu andava como o chamado "farrapo humano" pelo Posto Seis. Tinha vontade de cortar a cabeça para parar de pensar nela. Tudo era ela.

Uma noite (de noite, a solidão dói menos...), entrei bêbado num botequim ali do Posto Seis, perto da Galeria Alaska. O corno bêbado tem dois estados básicos: ou está caído no meio-fio chorando lágrimas de esguicho ou tem desajeitados arrancos de ousadia, com esperança de parar de sofrer. Entrei no boteco a fim de aprontar alguma coisa, um ato, um fato que me fizesse entrar de volta na vida normal. "Me dá um limãozinho aí", ordenei com pastosa determinação. O paraíba botou a cachaça. Olhei para o lado, feroz, ostentando macheza, e vi duas prostitutas perto do balcão, tomando média com bolo. Uma delas, branquinha e fraca; e a outra, preta, preta mesmo, zulu, gorda e colorida pela luz de néon que brilhava em seus braços negros. Chamei a preta, ostentando confiança: "Vamos até lá em casa etc. e tal?" A preta me olhou, pegou a bolsa e saiu rebolando na frente. Meu desejo era a conspurcação, uma forma invertida de purificar-me, prática que muita gente conhece. Atravessamos a rua molhada, até o prédio onde eu morava. Ela, calma; eu, trôpego, tentando a linha reta.

Ela chamava-se Áurea – nunca esqueci esse nome luminoso. Áurea subiu no elevador me examinando, a mim, cambaleando e babujando as habituais bobagens de freguês. Ela, quieta, me olhando. Entramos em casa e eu desabei numa poltrona, enquanto Áurea olhava a casa em silêncio. Olhou em volta a bagunça dramática. Viu roupas de mulher jogadas numa poltrona (eu dormira agarrado numa saia) e perguntou onde estava minha esposa. Pronto; foi a senha para uma longa queixa de dores, uma confissão de meus infortúnios. Não sei por quê, talvez por me ver diante de uma experiente mulher "da vida", desfiei todos os meus segredos, minhas dores mais vergonhosas, minhas lágrimas mais íntimas, para Áurea, que me olhava com um sorriso receptivo, seios francos, quadris e coxas negras, me ouvindo, me ouvindo. Estava ali uma profissional pobre, vida dura, sofrida, atenta àquelas queixas burguesas que eu derramava. Seu rosto não era nem de desprezo nem de falsa simpatia. Depois de ouvir meu papo longo (corno adora reclamar), ela começou a me dizer frases simples, óbvias, mas com uma doçura e compaixão que eu nunca vira antes: "Mulher não presta, não liga, não, o tempo resolve tudo, você é moço..." Depois, Áurea se levantou e disse que eu precisava me organizar, não ficar fraco. Lembro-me de que ela disse: "O corpo cai, mas a alma tem de ficar de pé...", algo assim. Olhou em volta e comentou: "Este teu apê está uma zona, hein?" Em seguida, foi até a cozinha, onde pegou os pratos sujos, empilhados, pedaços de pizza no chão, panelas gordurosas, e, com a destreza linda das mulheres pobres, botou tudo brilhando em 15 minutos. Arrumou tudo nas prateleiras, foi até minha cama de corneado e ajeitou lençóis e colchas, dobrou minhas roupas, ajeitou travesseiros.

Eu olhava tudo, tonto, e caí na cama. Áurea ajeitou mais coisas, se deitou a meu lado e me botou entre seus seios de mucama, ama-de-leite, passando a mão em meus cabelos e repetindo que "mulher não vale uma lágrima". E foi assim que ela me fez amor, a mim, passivo e soluçante. Depois, Áurea se levantou e foi embora. Não aceitou o dinheiro que eu tentei lhe dar. E sumiu, escura, na noite negra.

No dia seguinte, Copacabana estava mais real, menos selvagem. Aquilo foi michê, foi amor, foi sexo? Não sei – era uma terceira coisa. Nunca fui tão bem cuidado por uma amante. Até hoje, quando me sinto vazio, lembro-me daquela noite em Copacabana e de Áurea, a negra babá de minha dor-de-corno.

O "Se..." do canalha nacional

Se puderes manter a cabeça erguida, quando todos te acusarem, chamando-te de "ladrão" ou "corrupto" por te terem pegado com a mão dentro da cumbuca,

se mantiveres a aparente dignidade, mesmo diante de provas inabaláveis do teu crime e disseres com voz clara e serena: "Tudo isso é uma infâmia sórdida de meus inimigos", ou ainda: "Não me lembro se esta loura de coxas douradas foi minha secretária ou não...",

se disseres isso sem suar, sem desmanchar a gravata, com roupas impecáveis que não revelem o esterco que te vai dentro d'alma, se fores capaz de chorar diante de uma CPI, ostentando arrependimento profundo, usando de tudo, filhos, pais, pátria, tudo para te livrar... e, sobretudo, se puderes construir uma ideologia que te justifique e absolva, de modo que os atos mais sujos ganhem uma luz de beleza e coragem, se puderes dourar tua pílula, colorir teus crimes, musicar teus grunhidos, de modo que possas mentir com fé, trair sem remorsos e roubar com júbilo,

se puderes crer, por exemplo, que tens direito de roubar o povo para vingar uma infância pobre, ou de que roubas por teres sido injustiçado por pai severo ou porque tua mãe foi lavadeira e prostituta para pagar teu diploma fajuto de *business administration*, se acreditares mesmo que tens direito de superfaturar remédios de criancinhas com câncer porque também sofreste como menino comido por garotão mais forte no porão da tua infância (dor e delícia sempre negadas por teu machismo compensatório),

se, no fundo do coração, achas que roubar o Estado ou os estados ou as prefeituras ou os camelôs ou os lixeiros ou os mendigos é, portanto, uma causa nobre e um ato quase revolucionário, que a mutreta, a maracutaia, a "mão grande", o "apaga-a-luz", o "me dá o meu aí" têm algo de transgressão pós-moderna, algo de Robin Hood para si mesmo, como dizes, soltando a piada "ah-ah, roubo dos ricos para o pobre aqui... ah-ah",

ou se, por mais político ou ideológico, disseres a ti mesmo que roubas porque, "neste fim de século, a globalização da economia e o imperialismo nos assaltam" e que tu tascas antes deles, num ato nacionalista tipo "antes eu do que eles",

ou se te orgulhares de ter instaurado a gorjeta, a mixaria, o serviço de 25% (pois, como dissestes "10% é para garçom") enquanto enfias a língua na orelha da lobista gostosa ao teu lado no Piantella, de porre e feliz,

ou se justificares tua fortuna escrota por motivos mais científicos, invocando Darwin ou Spencer, declarando que o animal humano sobrevive pela agressão e competição (*survival for the fittest*) e que, portanto, assim como o chimpanzé ataca o mico-leão ou como o jacaré come o veado ou como a fêmea do louva-a-deus o devora como uma Nicéa enlouquecida ou como a formiga escraviza pulgões e rouba-lhes o leitinho, também cumpres a ordem natural das coisas, concluindo com erudição: "Roubo sim, pois isso está inscrito no genoma dos hominídeos há 50 milhões de anos",

ou ainda se, mais metafísico ou filosófico, contemplares o crepúsculo e lamentares melancolicamente que "acabou o tempo das utopias..." ou "a vida é uma ilusão dos sentidos" e, portanto, "roubo sim e caguei...",

ou ainda se, num gesto de infinita superioridade existencial ou literária, invocando Villon ou Jean Genet, assumires tua fisionomia de rato ou de preá, tua carinha embochechada por anos de uisquinhos, licores, pudins, babaganuches, se te orgulhares de tua esperteza e, de cuecas diante do espelho, enquanto a amante se lava no banheiro, berrares com júbilo: "Eta garoto bão, espertalhaço!", ou seja, se diante de si e do mundo, puderes enfunar a barrigona cheia de merda e dizer: "Sou ladrão sim, mas quem não é?" ou "Podem me acusar, mas quem tem este Renoir?", se puderes cultivar todos esses méritos, se puderes justificar com serenidade tua vida de estelionatos, pequenos furtos, orelhas de traficantes ou até mesmo de esquartejamentos com motosserras ("Esquartejo sim, mas por bom motivo..."), se puderes fazer tudo isso, confiante nos teus advogados sempre alertas como escoteiros na pilhagem nacional, confiante na absoluta conivência de rituais jurídicos que sempre te livrarão da cadeia, enquanto os pardos pobres apodrecem nas celas com aids e "quentinhas" superfaturadas,

e se, além da confiança na cega Justiça, dos desembargadores que sempre te acolherão, se, além desse remanso, desse consolo que te encoraja, roubares mesmo, no duro, por amor à causa, por paixão, por desejo sexual, pelo bruto tesão de acumular o máximo de dólares para nada, pela fome de lanchas, jatos, putas, coberturas, Miami, Paris, e se, com fé e coragem, reconheceres esse prazer com orgulho e sem remorsos, então, eu te direi, com certeza, que vais herdar a terra toda com todos os dinheiros públicos dentro e, mais que isso, eu te direi que serás, sim, impune para sempre, um extraordinário canalha, meu filho, um verdadeiro, um grandioso filho-da-puta brasileiro!

Uma noite de sexo mudou o Ocidente

Bill Clinton estava ansioso no salão oval da Casa Branca. O que o excitava era justamente o absurdo da situação. O homem mais poderoso do mundo esperava a chegada de Monica Lewinsky, com seus lábios deslumbrados. Monica saiu do edifício Watergate (!), onde vivia com a mãe republicana, e passou pela vigilância do palácio com seu cartão de estagiária. Na penumbra do gabinete, Bill, sentado à sua mesa de despachos, viu a porta se abrir e, numa fresta de luz, Monica surgiu ofegante da aventura e do perigo.

Clinton sentia um intenso prazer em pensar: "Se me vissem aqui..."

Ela se arrojou no carpete com as armas da república e, no silêncio da noite, iniciou suas carícias no presidente amado. Bill estava tenso, pois não conseguia parar de pensar em Sharon e Arafat, o que lhe cortava a onda para aproveitar o "relax" que a moça lhe proporcionava. Para esquecer o Oriente Médio, ele se imaginava como um grande globo poderoso, inflando, à medida que Monica se esmerava a seus pés. Ela amava o senhor do mundo e sonhava com o que diria para as amigas, especialmente Linda Tripp, sua confidente. Quando o orgasmo se anunciou, vindo de longe, talvez dos bosques da Pensilvânia, ele se excitou mais ainda pensando que a moça era republicana e que aquilo vingava-o contra a gangue da direita cristã. Finalmente, Clinton se entregou com um grande gemido de prazer, pairando como a Águia Americana sobre os olhos súplices da gorduchinha devota. E, nesse momento, o mundo mudou.

O resto é história. Esse boquete mudou o Ocidente.

Dirão alguns: "Devagar com o andor..." Não. Não é exagero. A direita se ergueu contra o sexo. Kenneth Starr, o promotor veado enrustido, lançou uma implacável campanha contra o Bill, e a nação só falou em sexo oral o ano todo. O país da liberdade sexual dos anos 60, dos direitos civis, virou um antro moralista discutindo detalhes genitais. Foi feio ver o Clinton jurar em close na TV que jamais comera a moça e, dias depois, o espermatozóide guardado por Linda Tripp vir a público para destruí-lo. Quase impicharam o homem, e, como a besta careta do Al Gore ficou com medo de defender Clinton na campanha, pois sua mulher e a América podiam considerá-lo conivente com a sacanagem, Bush foi eleito, com a fraude do irmãozinho na Flórida.

O que apavora é que quase expulsaram Clinton por sexo e, hoje, ninguém falou em *impeachment* para Bush, um canalha que destruiu o nome da América, dividiu o Ocidente e criou possibilidades reais de guerra nuclear para os fanáticos. Ninguém pensou em expulsar esse rato. É espantoso como um imbecil pode mudar o mundo.

A repressão sexual e a milenar estupidez humana são mais fortes que qualquer iluminismo. Osama deve ter ficado surpreso e grato diante da ajuda que Bush lhe deu. Somos muito mais frágeis do que supúnhamos. A barbárie é mais sólida e obstinada que a civilização. A Razão é um luxo de elites. Vejam os bilhões de imbecis com o rabo para cima rezando todo dia para um ser que não existe. E, do outro lado, milhões de energúmenos comedores de hambúrguer acreditam ainda no louco do Bush.

A religião não é o ópio do povo; é a bomba do povo.

A civilização é um enfeite de bolo. É muito mais fácil ser um boçal, um fanático que ignora a existência dessa coisa requintadíssima chamada "outro". Somos seres atrasados e egoístas, coisas, aliás, que não apenas as teocracias do Oriente estimulam, pois a nossa democracia de massa faz o mesmo.

E, hoje, estamos diante de um perigo duplo: no Oriente, temos a Idade Média do século VII, armada com a internet e armas nucleares, e, no Ocidente liberal, o perigo de surgirem populismos militaristas para acabar com a democracia.

Não foi Osama quem feriu o Ocidente. Foi Bush. O gravíssimo fato não é a presença de Bush no poder, apenas. É que, mesmo quando ele se for, o mundo estará estragado para sempre. Bush criou uma guerra santa no Oriente todo e sujou todas as conquistas civilizadas que tínhamos conseguido. Quando Hitler foi vencido, acabou um inimigo. Agora, nasceram inimigos paridos por Bush que jamais serão extintos.

A mulher não existe*

Eu nunca conheci a Mulher. Eu já amei e odiei "mulheres". Então por que esse título genérico? Os homens são mais classificáveis do que as mulheres. Não haverá nessa generalização um desejo de fazê-las compreensíveis, por medo de sua diversidade? Não existe a Mulher. Existem a mulher de burca, a strip-teaser, a mulher sem clitóris, a prostituta, existem a freira, a mãe de família, existem a perua, a piranha, a modelo, a bondosa, a malvada (tão cantada em verso e prosa), existem Eva e Virgem Maria, existem a pobre, a rica, a feia, a bela, a histérica, a obsessiva. A "Mulher" talvez tenha sido invenção dos machos.

Nós machistas escrevemos sobres elas, elogiando o lado "abstrato" das fêmeas, sua delicadeza, sua capacidade de perdão

* "La femme n'existe pas" (J. Lacan).

(sic), sua coragem, textos de uma hipocrisia paternalista, como se falássemos de pobres ou de crianças. Claro que, na história da humanidade, as mulheres foram humilhadas, estupradas na alma e no corpo.

Tudo bem, mas, no meu caso, eu sempre fui vítima das mulheres; eu sou hoje o que as mulheres fizeram comigo. Eu sou o que aprendi com elas. Na paixão ou no ódio, a cada mulher, eu descobri defeitos e qualidades que me formam, como acidentes que foram me desfigurando.

Claro que é um preconceito essa mania de dizer que as mulheres são "incompreensíveis" (mesmo Freud). Mas essa confusão na cabeça das mulheres não é maluquice ou psicose; nessa confusa cabeça há uma verdade mais profunda do que as ilusões de certezas masculinas.

Há uma galeria em minha vida. Minha mãe, claro, a "primeirona", me decepcionou numa noite remota quando ouvi gemidos de amor no quarto ao lado, ela e meu temível pai de bigode. De manhã, minha mãe não era mais a mesma, era alguém que me traíra. Nunca mais se fechou a ferida. Naquela noite remota, desenharam-se o medo e o desejo por todas que conheci depois.

As mulheres são sempre várias. Isso não as faz "móbiles", nem traidoras; nós é que nos achamos "unos". A mulher não é um enigma. Nós é que somos, nós é que achamos que há clareza. Os homens são mais óbvios, fálicos. Homem é ciência. Mulher é arte. Homem tem um "fim". Mulher abre-se num horizonte com muitos sentidos e está sempre equivocando o homem.

O maior mistério do mundo é a diferença entre sexos. Talvez o único mistério. Por mais que queiramos, nunca chegaremos lá. Lá onde? Lá onde mora o outro, a diferença.

Há alguns exploradores: veados, sapatões, travestis, escafandros que mergulham nesse mar e voltam de mãos vazias. Nunca saberemos quem é aquele ser com útero, seios, vagina, clitóris, aquele ser maternal, bom, terrível quando contrariado no ponto G de sua alma; e elas também nunca saberão o que é um pênis pendurado, um bigodão, um jogo do Flamengo, um puteiro visitado, nunca saberão do desamparo do macho em sua frágil onipotência ou grossura. Elas jamais saberão como somos.

O amor é a tentativa de pular esse abismo. O amor é a patética falta de recursos de seres querendo ser absolutos, quando não passam de bichos relativos.

De certa forma, a trepada é a tentativa de um encaixe que não acontece nunca, mesmo quando dá certo.

O que aprendi com elas? Minha mãe me fez sofrer quando percebi que não era o único. Outras mulheres me fascinaram pela impossibilidade de atingi-las, as "carmens" pareciam minha mãe perdida, e fiquei atraído pelo charme infinito das histéricas.

Lembrando-me de quem amei, vejo que elas queriam ser "descobertas" para elas se conhecerem. Queriam ser decifradas por mim, pelos homens, por nossas mãos e bocas. Uma grande obediência a elas só as tornava mais raivosas. Muitas vezes, cometi esse erro e dancei. Só perdi mulheres por "bondade" e "compreensão".

E há as prostitutas. O que buscamos nelas? A submissão, o abandono do desejo. Os homens pagam para que elas não existam. Pagamos a prostituta para que nos dê uma trégua, nos aceitando em nossa covardia. Mas ela nos despreza. A prostituta só ama o cafetão que lhe esbofeteia e lhe dá o alívio e a sensação de uma inteireza, de ser decifrada pelo cafajeste.

Existe alguma coisa que as unifique em uma identidade geral? Talvez se igualem por um superior descaso pelo progresso, pela política, elas sempre ocupadas em manter viva a natureza e a espécie. Elas estão muito mais próximas que nós da realidade múltipla do mundo, aberto, sem futuro ou significado.

Daniella e Ronaldinho: um amor de mercado

SEMPRE TIVE INVEJA de Ronaldinho. Não só dele, com seus dentinhos separados e os 100 milhões de dólares, beijado por multidões. Invejo também Daniella Cicarelli pelo mistério feminino, por sua luz de ninfa, que eu, homem, nunca entenderei. O problema da Cicarelli é a perfeição. Ela é uma construção impecável, dos olhos aos pés. Tenho vontade de lhe dizer: "Seja feia, Daniella... É tua salvação!..." Deve ser difícil viver com tanta beleza. Onde ela chega é vista como um objeto de arte, todos querendo percorrê-la como uma paisagem. Outras têm diferentes feitiços: Bündchen é galga, objetiva, global; outras são gostosas, com bundas e bocas. Daniella tinha a aura aristocrática, algo de Audrey Hepburn, de *My Fair Lady*, sorriso inocente, doçura e saúde. "Quem sou eu, além de minha beleza?", devia se perguntar.

Fiquei desiludido com o fim do casamento. Tive uma decepção romântica. Esperava que fossem felizes para sempre. Imaginei mesmo cenas eróticas entre os dois, a deusa e o centauro, o cavalgante atleta "sobre égua de nácar", como cantou Lorca.

Mas devo confessar que, desde o início, esse romance me incomodava. Alguma coisa soava falsa em tanto amor e em tantas certezas rápidas. Achei que, de repente, o Ronaldinho "resolveu" se apaixonar, como quem decide comprar um carro de luxo ou um avião. Escolheu Daniella, na ponta do dedo, ela, cinco estrelas dos milionários. Ele, que já tinha papado as mais belas mulheres do país, todas brancas, claro, quis transformá-la numa nova Cinderela. Só que, talvez, a Cinderela fosse ele, casando com a princesa, ele um ex-pobre e mulato claro. Esse romance sempre me pareceu uma "bandeira" viva do Brasil de hoje: narcísico e romântico, liberal e racista, democrático na mídia, mas excludente na vida real. Ronaldinho quis penetrar num clube fechado, no Country Club do amor, num Helvetia existencial. Mas ele não joga pólo, e sim futebol. Ronaldinho é um fenômeno, mas é de origem pobre, que subiu na vida. Como um Lula. E Daniella era branca e bela demais, frágil, dama do círculo dos rapazes "finos" de São Paulo, o clube dos sedutores milionários que freqüentam em revezamento as meninas-modelos. Daniella podia entrar, apesar da origem pobre, pois era suficientemente "patrícia". Ronaldinho era amigo de alguns deles, pela fama internacional, pelo poder no esporte, mas sempre foi um agregado de honra. Teria sido possível o mesmo caso de amor com Ronaldinho Gaúcho, ou com o Grafite? Houve um sutil racismo, um conflito de classes quase invisível, como um ruído na sintonia, um pecado nos mandamentos da elite virtual. Elite virtual, esse reino de famosos dançando a valsa das vaidades na mídia.

No início, eu achava que Ronaldinho amava muito Daniella, mas não acreditei no amor de Daniella por ele. Depois, parei de acreditar no amor dos dois. Sempre percebi uma ponta de depressão e dúvida nos sorrisos escancarados, uma pequena sombra de receio em seus olhos lindos, como se estivesse sob as ordens da imprensa, mais além de sua liberdade. E, nele, eu vi um desejo excessivo, voraz, na conquista da branca mais cobiçada.

Não quero saber quem largou quem, se ela era interesseira ou não. Falo de um contexto pseudoliberal que não suportou o caso fora do padrão do mercado romântico. O caso dos dois me pareceu irreal, diante desse amor de mercado que temos hoje, em que o sentimento é apenas uma fachada para a fama ou a grana.

Aí veio o casamento, no castelo de Chantilly. A festa tinha a finalidade de ir além do Helvetia, queria ser uma reconstituição da pureza de Daniella, com ecos de Diana e Charles, careta e ostensiva, promovida por um ex-pobre deslumbrado. A festa já nasceu contraditória: *kitsch* e de bom gosto, queria ser "de arromba", mas fechada para a mídia. Um amor acompanhado a cada beijo, cada sorriso nas revistas, e, na hora H, ninguém poderia assistir ao fim do filme de amor? Como impedir a entrada da *Caras*, como impedir a *Hola*? A imprensa – madrinha deles – não foi convidada, como a mãe de Daniella, manicure. A vingança da mídia se fez visível como um monstro no ar.

A festa já condenava o casamento ao fracasso. Por ser invisível, não existiria na mídia, a não ser como rancor: como esse mulatinho branco e essa perua agressiva ousaram esse nível de exclusividade? E a festa era tão pretensiosa que os ricos "finos" começaram a sabotá-la. Penetras se organizaram em "pegadinhas" e muitos penetraram não indo. E, não por acaso, no escândalo da noite, o pivô foi um dos filhos do Helvetia, levando uma clone de Daniella, vestida de branco como noiva clandestina. Como era possível para Daniella manter o sorriso de princesa no meio de tanta megalomania? E Daniella explodiu. Ela precisava se desvencilhar daquela falsa doçura, como um retorno do reprimido.

Quando a festa acabou, o dano estava feito. Garnero lamentou "elegantemente" a ingratidão de Ronaldo, Caroline cresceu na mídia, Daniella ficou queimada como "picareta" ou como víbora, e Ronaldinho acabou como o otário ex-pobre que quis bancar o "super-rich".

Depois, chegou o terrível cotidiano e os dois se encontraram sem identidade. Quem somos nós? Que fazemos aqui, se não nos conhecemos? Se viram sozinhos, um diante do outro. Foram enganados por si mesmos. Infelizmente, não lhes veio o filho, que poderia ser um messias de mercado naquilo tudo. E tudo acabou. Na balada, os amores frívolos ainda são suportáveis, mas, no café-da-manhã, no quarto, o mulato ex-pobre e a sílfide patrícia começaram a *hurler de se trouver ensemble* (sempre que posso uso essa expressão – "uivam ao se verem juntos"). Como unir o orgulho da beleza e do fenômeno com o *tête-à-tête* humilde dos casais de classe média?

E não foram felizes para sempre.

1964: o sonho e o pesadelo

ESTOU NO PASSADO – há quarenta anos. São 11 e meia da noite do dia 31 de março de 64 e eu assisto a um show que inaugura o teatro da UNE, com Grande Otelo e Elza Soares, para celebrar o socialismo. Acho estranho que festejem uma vitória sem poder ainda. Mas um companheiro me abraça eufórico: "Já derrotamos o imperialismo; agora só falta a burguesia nacional!" Não vejo o Tio Sam de joelhos ali, mas fico animado: "Viva!" Estou felicíssimo: tenho 20 anos, o socialismo virá, sem sangue, sem balas e com a ajuda do governo do Jango. "Minha vida está começando", penso, "e conscientizarei as massas pobres do país." Vou para casa e voltarei cedo à sede, onde haverá uma reunião às nove da manhã.

Estou de novo dentro da UNE, ouvindo as diretrizes do dirigente de nossa "base" do PCB, um comuna velho de nariz de couve-flor, e penso: "Como ele pode fazer revolução com esse nariz?" Ele nos garante que o Exército está do lado do povo porque tem "origem de classe média". Sinto-me protegido pelos bravos soldados do povo, quando começo a ouvir gritos e tiros lá fora. Corremos todos para a sacada e vemos dezenas de estudantes que apedrejam a fachada, atirando para o alto. "São os estudantes de direita da PUC. Temos de reagir!", diz alguém. "Com quê?", pergunto. Onde estão as armas revolucionárias? Nada. Ninguém tem uma reles Beretta. O dirigente da "base" fica com o nariz muito branco, que antes era pink. Nuvens de fumaça entram pelas salas. A UNE está pegando fogo. Estudantes armados invadem a sede com garrafas de gasolina. O teatro queima. Fujo por uma janela dos fundos, onde rasgo a calça num prego. Apavorado, corro para a porta da UNE, ostentando naturalidade, para ver o que está acontecendo. Reconheço vários colegas ricos de minha faculdade, com revólveres na cinta, numa selvagem alegria destrutiva. Os móveis em fogo se amontoam na porta da UNE enquanto outros caem da sacada.

Dois colegas da PUC me vêem. Eles vêm vindo, com armas na mão, afogueados pela guerra santa. "E aí, cara!? Grande vitória, hein! Acabamos com esses comunas sem-vergonha!", me gritam, arquejando de contentamento. Tenho vontade de matá-los. Se tivesse a automática 45mm de meu pai milico, entraria num duelo de *western* com eles. Eles me olham. Estou pálido, mas tenho a dignidade de não dizer nada. Viro as costas e saio andando pelo asfalto, sentindo minhas costas tremerem, esperando o tiro me derrubar. Procuro com os olhos os bravos soldados do "exército democrático". Surge um comboio de tanques. Passa por mim Vianinha, que sussurra: "Some, porque o Exército virou casaca!"

Vejo os tanques, com os "recrutas do povo" montados em cima, e entendo que minha vida adulta está começando, mas de cabeça para baixo. Outros companheiros se dispersam à distância, enquanto a UNE arde em fogo. "Ali, estão queimando os nossos sonhos", penso, ali queima a "libertação do proletariado", ali morre em fumaça minha juventude gloriosa, queima um Brasil "cordial", que me parecia fácil de mudar, um Brasil feito de slogans, idéias prontas e esperanças românticas. Lembro do comício da Central, 15 dias antes, quando senti um arrepio vendo o Jango falar em "reformas" sem convicção, entre as tochas em fogo dos petroleiros e perto da mulher, Tereza, vestida de azul, ausente e linda. Lembro-me também das velas acesas nas janelas da cidade pela classe média, de luto contra Jango, e lembro que pensei: "Isso vai dar bode!" Agora, a UNE pega fogo como uma grande vela. Vou andando para o Centro e as árvores do Russel me ameaçam com seus galhos, vejo a estátua de São Sebastião flechado e me sinto mártir como ele, passo pela praça Paris, onde Assis Valente se matou com formicida, e penso em sua música: "Está na hora dessa gente bronzeada mostrar seu valor!"

Chego ao Passeio Público cercado de carros de combate e vejo que o mundo mudou. Sento-me perto de um laguinho e fico vendo os rostos das pessoas, mendigos com latinhas e sacos de aniagem, uma mulher bêbeda dançando, vejo o Rio pela primeira vez, como se tivesse acordado de um sonho para um pesadelo. As pessoas se movem em câmera lenta, as buzinas estão altas demais, no trânsito engarrafado, e eu me sinto exilado em minha própria terra. Na Cinelândia, grupos de soldados montam guarda. São recrutinhas fracos, com capacetes frouxos e cara de nordestinos analfabetos; o povo monta guarda contra nós. Numa vitrine, televisões mostram o Castello Branco entre generais. Esse é o novo presidente? Parece um ET de boné. Vou andando, sem lenço e sem nada. Paro na porta de um cinema onde passa *Lawrence da Arábia*. Finjo que olho os cartazes. Alguém me bate no ombro; viro em pânico e vejo um velhinho vendedor de loteria, que me segreda: "Sua calça está rasgada atrás..." Apalpo o grande estrago do prego da UNE e saio mais tonto. "Meu Deus... eu que imaginava os grandes festivais do socialismo com Lenin e Fidel, eu que era um herói virei um bunda-rasgada!" Percebo que um Brasil ridículo, que sempre esteve ali, está vindo à tona. Ninguém quer me prender. Sou invisível. Vejo um ônibus que vai para minha casa. Me jogo dentro. Passo em frente à UNE e não olho, pois sei que vou ver o fogo, bombeiros apagando. Não resisto, e o casarão preto passa, entre brasas e fumaça.

Chego em casa, trêmulo. Minha mãe está com duas tias na sala. Uma delas, carola de igreja, que marchou pela Família, Deus e Liberdade, me beija muito e diz: "Toma aqui essa medalhinha de Santa Teresinha do Menino Jesus pra te proteger!" E pespega em minha blusa a santinha com uma fita vermelha. Meu desespero é indescritível. Minha mãe me abraça chorando: "Ele não é comunista, não! Ele é bom, bom! Está pálido, meu filho... Come esse bolinho de milho..."

Fico olhando os bibelôs da sala, mastigando o bolo. Vejo os elefantes de louça, o quadro do preto-velho, os plásticos nas poltronas, o lustre de cristal, orgulho de mamãe. E afinal entendo que minhas tias estão no poder e que eu não existo.

Carnaval é uma promessa de amor

O CARNAVAL PARA mim é nostalgia. Não me comovem as calamidades públicas feitas de samba e cerveja dos dias de hoje. Carnaval sempre foi uma fantasia romântica; eram os dias em que eu sentia o peso de minha melancolia adolescente, encurvado e comprido como uma cegonha. Eu ia obstinadamente aos bailes da cidade em busca de algum amor que me salvasse, de alguma febre passageira de sexo e beleza. Nesses verdes anos, eu tinha voltado dos EUA e falava um inglês perfeito, com sotaque arrastado do sul da Flórida. Com isso arranjei um bico de tradutor simultâneo em convenções e seminários.

No Rio, houve uma reunião de industriais brasileiros e americanos e lá fui eu para a cabine de vidro, traduzindo nomes de engrenagens, tipos de café, tratores, prensas hidráulicas.

Foi aí que chegou o carnaval e uns executivos da General Foods resolveram "emendar" no Rio. Descolaram uns convites para o famoso baile do Copacabana Palace, para onde me levaram, eu, meio tradutor e meio valete dos gringos animados, todos a rigor, eu de *summer jacket*, meio irritado com a aporrinhação multinacional. O baile do Copa era o mais chique da cidade; ar refrigerado, lindíssimas mulheres do *café society*, bocas imensas de batom, cabeleiras douradas, confetes coloridos e lança-perfume no ar envolvendo a euforia elegante.

Atravessei a multidão de foliões uivantes e fiquei olhando a alegria dos outros, ali, de paletó branco como um garçom deprimido, quando duas morenas me chamaram para dançar: "*Come on, baby, come on!!*" Elas pensaram que eu era americano mesmo. Hesitei; mas, para disfarçar meu constrangimento, saí pulando com as duas havaianas e continuei falando inglês, travestido num gringo dionisíaco.

Ao fim de minutos, percebi que eu estava livre, solto, que dançava com uma desenvoltura desconhecida para mim, beijava as mulheres, pulava, cheirava lança-perfume, sentia o salão girar em volta e, em minha vertigem, via os olhares reverentes dos brasileirinhos olhando-me, eu, o ianque pulando o carnaval. "*Yes! Crazy, man, crazy!*", eu gritava, tonto de felicidade. Não era eu quem estava ali; era um americano rico, abraçando colonialmente duas brasileiras gostosas.

Foi então que surgiram os paulistas. Em uma mesa coberta de uísque e cerveja estavam os industriais paulistas amigos dos americanos que eu guiava. São Paulo, quatrocentão naquele tempo, era o sucesso das revistas. Os prédios subiam de meia em meia hora e criavam o boquiaberto espanto dos vira-latas do Rio e do país. Mal sabíamos que já estava sendo traçada a catástrofe urbana da futura paulicéia poluída. Mas estávamos ainda em 63.

Mas, antes de ver os paulistas, eu vi os bigodes. Naquela época, todo paulista tinha bigode, grande, impositivo, indício majestoso de fábricas e bancos, e todos estouravam champanhes e gargalhadas.

Na ponta da grande mesa onde choviam confetes e serpentinas, vi uma mulher vestida de grega, de olhos bovinos como Hera e de cabelos ornados por uma coroa dourada de louros. Ela ria, mas seu riso era mecânico, falso; ela sorria com a boca, mas seus olhos eram apagados. Larguei as havaianas e me sentei na mesa, já relaxado, folgado, servindo-me do uísque dos bigodudos.

Eufórico, seguro, fiz uma larga reverência à mulher de peplo branco e dourado. A "grega" me sorriu com a frase: "*You... like... carnival?*" Engasguei e continuei: "*Sure... great!*"

E, tomado de loucura, tirei-a para dançar... Percebi que eu estava despido do pior fardo: minha identidade. Eu não era eu. Era outro. Devo dizer que dancei maravilhosamente, que segredei elogios com voz de galã em seu ouvido, que dei os toques certos em seu corpo, que minha alegria foi irresistível. Tanto que, de repente, a "grega" me beijou, transtornada, numa vertigem de liberdade: "*My husband go to São Paulo... machines...*

for... the company...", ela explicou num inglês trêmulo, falando do marido (bigodudo?) que a deixara sozinha e fora para suas máquinas na margem do Tietê.

Dali a pouco, estávamos andando pela praia num "amasso" delirante, eu me sentindo um herói grego e ela me olhando como um americano de filme, romântico e superior. A praia de Copacabana brilhava sob a lua, as ondas quebravam em câmera lenta. Andamos pelas ruas da madrugada, numa aturdida vagabundagem, passando por vendedores de churrasquinho, foliões de porre agarrados em postes, "bailarinas" de barba suja caídos na sarjeta, mascarados e prostitutas voltando para casa. Encostamos num carro alegórico quebrado na rua, representando uma floresta com onças e águias de papel machê dourado, onde ela me contou, chorando e me beijando como um salvador: "*My husband... don't speak...* não fala... *with me...* comigo... *he... works... he don't like me...*"

Anos depois me lembraria dela, quando li a frase-provocação de Nelson Rodrigues: "A pior forma de solidão é a companhia de um paulista..." Minha linda grega chorava enquanto nos beijávamos... e assim ficamos até o dia seguinte, emocionados, apaixonados, no quarto de luxo do hotel, ouvindo o mar bater, misturado às músicas ao longe.

De manhãzinha, saí escondido, deixando a minha grega paulista dormindo. Amarrotado, de paletó branco na mão, sem gravatinha, me esgueirei do hotel... O porteiro me saudou: "Acabou a folia... hein... meu chapa?" "É isso aí, bicho...", respondi... E senti que a melancolia já me tomava, eu, de novo, brasileiro. Em casa, minha mãe, de camisola, chorava de aflição: "Achei que tinha havido uma desgraça!" Meu pai me fitava severo, mas vi em seus olhos uma pontinha de admiração. E aí, acabei em cinzas.

Passou o tempo. De vez em quando, ela aparece nas colunas sociais. É superconhecida, uma senhora sempre ao lado do marido, gordo, mas, hoje, sem bigode. Nunca direi seu nome, mas tenho certeza de que ela guarda atrás do sorriso cada vez mais apagado a memória daquela noite luminosa em Copacabana. Foi meu melhor carnaval. Nunca fui tão feliz quanto naquela noite, quando eu não era eu.

O mandacaru na sala de jantar

ONTEM EU COMPREI um mandacaru. Isso mesmo. Sempre quis ter um cáctus em casa, mas me diziam: "Dá azar..." E eu desistia. Mas ontem passei num florista quase em frente a meu prédio no Rio e perguntei: "Tem cáctus?" Ele abriu um caminho entre samambaias e tinhorões e apontou-me o mandacaru. Fiquei fascinado pela planta. Não era um cáctus qualquer; era um personagem do Nordeste, uma famosa planta brasileira.

O leitor já viu um mandacaru? Esse deve ter um metro e sessenta, reto, com três braços abertos, uma pele verde-oliva entre plástico e couro-de-lagarto, aberto em gomos sinuosos e todo cravejado de pequenos espinhos. Em minha casa há um enorme quadro amarelo como um sol em contraluz e eu coloquei-o ao lado, de modo a criar uma paisagem de caatinga na sala. Então, feliz com meu dia de jardineiro, resolvi escrever meu artigo semanal; mas fui tomado por um grande tédio.

Escrever o que sobre essa paralisia histórica mundial que finge ser dinâmica, mas apenas roda no mesmo erro, como um aleijado caído no chão, girando em volta de si mesmo, entre Bush e Osama, entre Lula e tucanos, entre Garotinhos, Rosinhas, irrelevâncias políticas regressistas?

Do fundo da sala, meu mandacaru se postava como uma sentinela, ali, junto ao quadro ensolarado de Thereza Simões. E ele me despertou a fome de alguma coisa permanente, alguma coisa que fosse essencial, nesse mundo caindo em epilepsia histórica. E resolvi escrever sobre ele.

Fixei-me no mandacaru, aproximando-me como um zoom. Ali estava ele, há milhões e milhões de anos, imóvel, fora do tempo e da história, um observador mudo. Olhei bem a forma do mandacaru. E sua visão foi me dando um grande alívio, um prazer de estar em contato com um filho da natureza como eu, companheiros há bilhões de anos, numa solidariedade discreta, como um guardião me protegendo.

Cheguei mais perto, passando a mão em sua pele lisa e dura como o dorso de dragão, crivada de espinhos que palpei delicadamente, como a um bicho manso, mas que pode morder de repente. Minha mão tremia nesse contato solitário entre nós dois, a sós, de madrugada no Rio, chovendo lá fora, numa conjunção quase amorosa, ele quieto e dócil, e eu curioso como um macaco diante do mistério. Eu temia seu silêncio. Ele é um indivíduo vivo, sim, tanto que cresce, floresce quando vem chuva no sertão, tem cardos para o mundo perigoso, mas não toma a iniciativa. Só espera. Percebo que nele tudo tem uma razão milenar. Ele é fruto de razões, esculpido pela misteriosa necessidade de existir. Vejo que a história da natureza está toda ali contada entre seus gomos e espinhos. Quantos milênios se incorporaram à sua vontade de viver? O verde-escuro tem uma razão, as volutas de seu corpo, seus braços em cruz, apelando para os ares, tudo é um relato cifrado para mim, narrando os eventos que passaram por milhões de séculos.

Ao vendedor, perguntei se tinha de regar. Não, ele não precisa de água, nem de nada. O meu mandacaru não come nem bebe. Só vive. "Por quê?", penso, metafísico. Para quê? Para nada, nos ensinou Darwin, abrindo o caminho do "alegre saber" desesperançado para a filosofia. Nada. Ele é elegante, frugal e forte como um sertanejo - a comparação inevitável. O mandacaru é um sertanejo de braços abertos diante do nada, sob o sol, existindo em pleno vazio - como nós... Só que ele não tem ilusões de sentido, coisa de humanos. Ele é uma lição sobre nosso destino, uma lição incompreensível, um segredo insuportável que não podemos encarar. Mas, se ele está fora da história - me pergunto -, por que então os espinhos? Ele se defende de quê, há milhões de anos? Ele não se move, mas sabe do movimento do mundo. O mandacaru está sempre pronto para a ação. Ele não ataca, mas contra-ataca os bichos que tentaram mascá-lo, dentes primitivos que interrompiam a ordem que seus genes lhe davam: "Exista! Viva!"

Por isso ele está sempre *en garde*, com bracinhos curtos, como um soldado, um espadachim. Ele não venta, não verga, só espera. Ele não serve para nada, além de existir. Não, não; suas flores servem, sim, anunciando chuvas. Seus frutinhos são insípidos e ele só serve de comida em último caso, humilhado em sua pose meio humana, sendo esquartejado, cadáver verde, raspado de espinhos para alimentar os bois na seca.

Mas aqui, na minha sala, ele está longe de seu deserto, ele está sozinho, parece mais um retirante, desambientado na presença dos vasos de louças, da mesa de mármore, dos livros, sofás.

Que faz esse retirante, esse pau-de-arara aqui? Ele é um intruso, mas não parece constrangido em sua dignidade agreste. Ao contrário, sua presença aviva tudo à sua volta por diferença, tudo fica mais nítido, porque ele parece coisa, se disfarça até de coisa, mas está vivo. Vivo. É isso que me assombra, à noite, quando chego e o vejo em sua discreta vigília, me esperando. Dou-lhe um "olá" mudo e gosto que ele esteja ali, amigo, sem nada pedir. À sua volta abre-se um Nordeste em minha sala, lembrança de vaqueiros, cangaço, Lampião e Graciliano. Ele me religa com uma natureza sem exuberâncias, sem românticas esperanças ecológicas, mas uma natureza viril, discreta, me trazendo um sentimento de coragem.

E eu não estou mais sozinho. Ele é o Sr. "Cereus Jamacaru", e eu, o Arnaldo. Aprendo com ele a resistir aos ataques que têm me ferido pela incompreensão do amor virado em ódio, com ele aprendo que não há motivo algum para a esperança, nem para a salvação, mas que viver é uma ordem a que obedecemos e que pode ser um prazer silencioso como ele certamente tem, debaixo do sol da caatinga ou no canto de minha sala. De noite, durmo e sei que há dois viventes em casa. Eu e ele. Não sei até quando, pois ele talvez me sobreviva e fique para sempre em minha casa, esperando alguém que o leve para um destino novo e que talvez o assassine.

Estamos todos no inferno

– Você é do PCC?

– Mais que isso, eu sou um sinal de novos tempos. Eu era pobre e invisível... vocês nunca me olharam durante décadas... E antigamente era mole resolver o problema da miséria... O diagnóstico era óbvio: migração rural, desnível de renda, poucas favelas, ralas periferias... A solução é que nunca vinha... Que fizeram? Nada. O governo federal alguma vez alocou uma verba para nós? Nós só aparecíamos nos desabamentos no morro ou nas músicas românticas sobre a "beleza dos morros ao amanhecer", essas coisas... Agora, estamos ricos com a multinacional do pó. E vocês estão morrendo de medo... Nós somos o início tardio de vossa consciência social... Viu? Sou culto... Leio Dante na prisão...

– Mas... a solução seria...

– Solução? Não há mais solução, cara... A própria idéia de "solução" já é um erro. Já olhou o tamanho das 560 favelas do Rio? Já andou de helicóptero por cima da periferia de São Paulo? Solução como? Só viria com muitos bilhões de dólares gastos organizadamente, com um governante de alto nível, uma imensa vontade política, crescimento econômico, revolução na educação, urbanização geral; e tudo teria de ser sob a batuta quase que de uma "tirania esclarecida", que pulasse por cima da paralisia burocrática secular, que passasse por cima do Legislativo cúmplice (ou você acha que os 287 sanguessugas vão agir? Se bobear, vão roubar até o PCC...) e do Judiciário que impede punições. Teria de haver uma reforma radical do processo penal do país, teria de haver comunicação e inteligência entre polícias municipais, estaduais e federais (nós fazemos até *conference calls* entre presídios...). E tudo isso custaria bilhões de dólares e implicaria uma mudança psicossocial profunda na estrutura política do país. Ou seja: é impossível. Não há solução.

– Você não tem medo de morrer?

– Vocês é que têm medo de morrer, eu não. Aliás, aqui na cadeia vocês não podem entrar e me matar... mas eu posso mandar matar vocês lá fora... Nós somos homens-bomba. Na favela tem 100 mil homens-bomba... Estamos no centro do Insolúvel, mesmo... Vocês no bem e eu no mal e, no meio, a fronteira da morte, a única fronteira.

Já somos uma outra espécie, já somos outros bichos, diferentes de vocês. A morte para vocês é um drama cristão numa cama, no ataque do coração... A morte para nós é o "presunto" diário, desovado numa vala... Vocês intelectuais não falavam em "luta de classes", em "seja marginal seja herói?". Pois é: chegamos, somos nós! Ha ha.... Vocês nunca esperavam esses guerreiros do pó, né?

Eu sou inteligente. Eu leio, li 3 mil livros e leio Dante... mas meus soldados todos são estranhas anomalias do desenvolvimento torto deste país. Não há mais proletários, ou infelizes ou explorados. Há uma terceira coisa crescendo aí fora, cultivada na lama, se educando no absoluto analfabetismo, se diplomando nas cadeias, como um monstro "Alien" escondido nas brechas da cidade. Já surgiu uma nova linguagem. Vocês não ouvem as gravações feita "com autorização da Justiça?" Pois é. É outra língua. Estamos diante de uma espécie de pós-miséria. Isso. A pós-miséria gera uma nova cultura assassina, ajudada pela tecnologia, satélites, celulares, internet, armas modernas. É a merda com *chips*, com *megabytes*. Meus comandados são uma mutação da espécie social, são fungos de um grande erro sujo.

– O que mudou nas periferias?

– Grana. A gente hoje tem. Você acha que quem tem 40 milhões de dólares como o Beira Mar não manda? Com 40 milhões a prisão é um hotel, um escritório... Qual a polícia que vai queimar essa mina de ouro, tá ligado?

Nós somos uma empresa moderna, rica. Se funcionário vacila, é despedido e jogado no "microondas"... ha ha... Vocês são o Estado quebrado, dominado por incompetentes.

Nós temos métodos ágeis de gestão. Vocês são lentos e burocráticos. Nós lutamos em terreno próprio. Vocês em terra estranha. Nós não tememos a morte. Vocês morrem de medo.

Nós somos bem armados. Vocês vão de "três oitão". Nós estamos no ataque. Vocês na defesa. Vocês têm mania de humanismo. Nós somos cruéis, sem piedade.

Vocês nos transformam em *superstars* do crime. Nós fazemos vocês de palhaços. Nós somos ajudados pela população das favelas, por medo ou por amor. Vocês são odiados.

Vocês são regionais, provincianos. Nossas armas e produtos vêm de fora; somos globais. Nós não esquecemos de vocês; são nossos fregueses. Vocês nos esquecem assim que passa o surto de violência.

– Mas o que devemos fazer?

– Vou dar um toque, mesmo contra mim. Peguem os barões do pó! Tem deputado, senador, tem generais, tem até ex-presidentes do Paraguai nas paradas de cocaína e armas.

Mas quem vai fazer isso? O Exército? Com que grana? Não tem dinheiro nem para o rancho dos recrutas... O país está quebrado, sustentando um Estado morto a juros de 20% ao ano e o Lula ainda aumenta os gastos públicos, empregando 40 mil picaretas. O Exército vai lutar contra o PCC e o CV? Estou lendo o Klausewitz, *Sobre a Guerra*. Não há perspectiva de êxito... Nós somos formigas devoradoras, escondidas nas brechas... A gente já tem até foguete antitanque... Se bobear, vão rolar uns "Stingers" aí... Pra acabar com a gente, só jogando bomba atômica nas favelas... Aliás, a gente acaba arranjando também "umazinha", daquelas bombas sujas mesmas... Já pensou? Ipanema radioativa?

– Mas... não haveria solução?

– Vocês só podem chegar a algum sucesso se desistirem de defender a "normalidade". Não há mais normalidade alguma.

Vocês precisam fazer uma autocrítica da própria incompetência.

Mas vou ser franco... na boa... na moral... Estamos todos no centro do "Insolúvel". Só que nós vivemos dele, e vocês... não têm saída. Só a merda. E nós já trabalhamos dentro dela.

Olha aqui, mano, não há solução. Sabem por quê? Porque vocês não entendem nem a extensão do problema.

Como escreveu o divino Dante: *"Lasciate ogna speranza voi che entrate!"* Percam todas as esperanças. Estamos todos no inferno.

Viagem ao pornocinema

Nove telas coloridas de televisão mostram pedaços de corpo humano: paus, vaginas, coxas, bocas abertas, esperma caindo, gemidos, gritos, suspiros. Sinfonia de sexo explícito nas telinhas da sala grande e refrigerada. Diante delas, nove mocinhas pálidas batem as legendas em português num computador. Banquete de sexo na sala limpa e high-tech. Homens e mulheres gritam orgasmos em inglês: *"Oh yes!! Oh! Yes! Oh, fuck me, shamelessly! Oh my God!... Go motherfucker, come, come!!!"*

A mocinha casada, dois filhos, escreve séria no computador: "Oh... me come, seu filho-da-puta!!! Vai!!!"

Estou na sala de legendagem de um dos estúdios que traduzem e copiam milhares de vídeos pornôs distribuídos no Brasil.

"Este aqui é bem típico dos filmes pornográficos. Ganhou prêmios. Olha...", me diz o tradutor, José Maria, magro, cor de cera. "Fiz Letras na Universidade Católica; agora faço a semiologia da sacanagem...", riu tristemente.

Na tela está gemendo uma mulher morena, belíssima, podia ser estrela de Hollywood. "É a Jeanne Fine, a deusa pornô!"

Vejo que ele é meio apaixonado por ela. Jeanne Fine merece; ela é sólida e carnuda, mas romântica de rosto - doçura com perigo. No filme, ela abre uma gaveta num quarto de hotel. De dentro, tira enormes paus de borracha, vaginas de látex, grandes camisas-de-vênus em forma de língua, perucas, órgãos peludos, e diz: *"Oh my god, this guy must be nuts."* "Este cara deve ser muito louco", traduz a mocinha pálida em silêncio.

Um homem surge na porta do quarto. *"Oh... my... you scared me!"* "Você me assustou!" O homem está seminu, corpo de atleta, uma peruca de mulher na cabeça e ligas, sapatos altos de verniz. Sem transição eles caem na cama. Toda a relação dos dois é feita com a preocupação permanente de garantir um máximo de visibilidade para cada detalhe do corpo de cada um.

A mulher deslumbrante está com apenas uma calcinha de couro com tachas de metal aplicadas e, com esta roupa *hard*, ela roça na lingerie branca e fina do homem musculoso. Com os dentes, ela abre uma janela de renda na calcinha do homem, e começa o sexo oral. Um rosto jovem e romântico acaricia um imenso pênis grego de totem.

O tradutor me olha de lado. Estou trêmulo, com medo de perder a isenção jornalística. As mocinhas digitam em silêncio. Para disfarçar, racionalizo que nos filmes de arte há o desejo de nuançar o significado poético de cada cena, mas aqui só vemos o desejo de tudo ser absurdamente visível.

O tradutor José Maria concorda com minha frase e aponta vários vídeos. Parece um mestre-de-cerimônias:

"Aqui há uma amostragem boa. Ali temos *Backdoor Princess* (*A Rainha do Rabo*). É a nova onda do sexo anal, que é o que mais sai aqui no Brasil; ali temos um filme de lesbianismo, *Friendly Pussies* (*"Xoxotas Amigas"*, penso); ali adiante, um filme de sadomasoquismo (o pálido José Maria fica mais corado): *Leather Pricks*; ali, na tela da Maria Goretti, é negócio de animal, mulher com cavalo, com jumento, mas isto ninguém mais está vendo. Aqui tem uns filmes de pedofilia trancados, eu nem deixo as mocinhas verem... Este aqui é um filme brasileiro: *A Galinha do Rabo de Ouro*, com a atriz Fernanda Glauber, imagine só...

"Qual é a diferença entre o filme pornô brasileiro e o americano?", pergunto.

O tradutor me olha: "A fome! A estética da fome!"

"Num filme pornô brasileiro, eles gastam mais ou menos 10 mil dólares, no máximo... porque filmam em três dias, montam no negativo, em dez dias tá tudo pronto. E reaproveitam cenas de outro filme já feito. Sexo é tudo igual, xoxota monta com qualquer outra, pau é tudo igual... Uma atriz pornô ganha pouco aqui... 500 reais por dia... é... só... só dá pra isso... mas tem umas que fazem até de graça... elas querem ser a Sônia Braga... A diferença entre o pornô e o erótico é só uma: há ou não há penetração. As grandes estrelas do erótico, as pornochanchadas de antes, eram a Helena Ramos, a Aldine Muller, Zilda Mayo... sem penetração... boas donas de casa... gente fina... Já as pornô-estrelas são muitas... a Márcia Ferro era uma... se deu bem... a Makerley Sony filma muito ainda... mas a grande estrela foi Eliana Gabarron... linda... era um poema... hoje entrou para Testemunhas de Jeová... saudades dela.."

José Maria me preparou um festival completo de filmes americanos e brasileiros. E com ele vou analisando a linguagem do filme de sacanagem.

Assistimos a trechos de *Splendor in the Ass*, com Tori Welles, e *Ânus Dourados*, I e II. José me pergunta se eu já li Greimas (o lingüista francês). Digo que não. "Foi minha Tese de mestrado..." E juntos vamos vendo putaria e falando de arte. E encontramos diferenças entre o filme americano e o brasileiro.

O pornô americano fala de uma sociedade onde o sexo é um luxo aerodinâmico, um excesso de civilização. No pornô brasileiro, há uma triste humilhação das mulheres. Não há excesso; há carência, há sacrifício, tristes gemidos.

O pornô brasileiro é rural (num deles estupram uma galinha). No pornô de Los Angeles pressente-se a abundância lá fora. As mulheres são heroínas dominadoras. A mulher americana é de corpo inteiro. O ator, nem o vemos direito; só o pênis o representa. Enquanto a atriz vem completa, cabelos, seios, olhos, o ator americano se resume ao próprio pau.

No filme brasileiro, vemos a fome nos rostos e corpos tristes; no filme americano, pressentimos supermercados, academias de ginástica. Os atores americanos trabalham por prazer perverso. Os brasileiros, por um prato de comida. O pornô brasileiro é político. O pornô americano é existencial.

Eu e José Maria viajamos pelos rios de "objetos perversos", pedaços de corpo, pênis, vaginas, ânus, numa trip ginecológica que nos dá a impressão de que o universo é feito de carne. E vemos mais, vemos *The Bitch is Back* (*A Volta da Puta*), vemos *Bom-Dia Saigon,* com a grande e famosa Aja. E vamos fixando pontos estéticos na linguagem pornô, que tanto ilumina o mundo de hoje.

"Repare que o filme pornô não cuida do *décor*", me diz José Maria. Realmente, os filmes se passam em quartos neutros de hotéis ou apartamentos sem estilo. Estilo *early nothing,* como disse Gloria Grahame para Glenn Ford em *Big Heat,* me fala José Maria, com orgulho de cineclubista. Olho impressionado e realmente vejo que aqueles quartos tristes, amarelos, denotam a melancolia dos autores. O cenário dos filmes de sacanagem é um triste cotidiano espionando o ardor exibicionista dos atores, a realidade desmentindo tanto tesão mágico. O cenário do pornô é a carne, um mundo infinito de corpos e de posições.

Não há fundo; só há a figura. Só há o corpo, flutuando em quartos banais. O autor pornô não quer que haja mundo; só a pessoa. Filme pornô é em duas dimensões. Sempre parece que vai chegar o dono da casa, no filme pornô. Quem mora ali?

José Maria me diz: "Agora um clássico, não o filme, mas o ator. É o John Holmes, o galã dos 38 centímetros, o Rambo dos falos." E realmente raia na tela uma espécie de monstro de ficção científica, uma serpente pré-histórica, um minhocão do futuro, diante de uma mulher que não esconde um riso de pavor. E José: "Veja você que a *mise-en-scène* no filme pornô tende para o close-up. O minhocão de Holmes flutua no vídeo.

Olho: realmente a câmera pornô trabalha por esfacelamento dos corpos. Não há quase corpo inteiro, a pessoa, o objeto total; só existem os pedaços de corpo, as paisagens da carne. Lembro-me de Sade: "Criem um panorama de nádegas!" O horizonte pornô é um entrepernas, os montes de Vênus, a serra dos órgãos, as torres de pica, o sol se pondo entre vaginas, línguas, dentes, sempre pedaços, nunca o conjunto. Tudo de perto, como se fosse o ponto de vista de um recém-nascido querendo voltar.

Pergunto a José Maria o porquê de tanto close. Que quer a câmera descobrir na carne? José me diz muito sério: "A câmera pornô não procura belos ângulos; ela quer mostrar o impossível."

Rola diante de nossos olhos já cansados outro clássico: *Hermafrodita I* (com o slogan: "*He comes from all the sides*"), e, vendo aquele louco aleijão, aquele centauro de dois sexos, sinto medo de ver uma tragédia perversa. Mas José está calmo, olhos mais vívidos. "É Godard puro o filme pornô... ", me diz, "ação desdramatizada, planos saturados... Veja."

É. O filme pornô não tem história, como os filmes de vanguarda; só que fazem sucesso de público... O filme pornô é contra o cinema psicológico. Quem evolui dramaticamente é o espectador. O filme pornô, mesmo quando finge uma ficção, é sempre documentário. O filme pornô não tem começo nem fim, só tem meio. O filme pornô recusa o simbolismo. Um pau não sugere um poder futuro ou o germinar da fertilidade. Um pau é um pau, é um pau. Nem o contrário; um obelisco ao pôr do sol não sugere um pênis. Não. No filme pornô não há símbolos fálicos. Não há meios-tons. Nada é sugerido. Todo ator de filme pornô sabe que a regra de ouro do orgasmo é gozar fora. Todo contrato exige isso, para que vejamos o esperma fluindo nos corpos das atrizes. Ali está a prova naturalista. Nada é mentira e tudo o é. Abole-se a metáfora. O gozo é gozo. Pau é pau, sem conversa.

José Maria me pergunta, com voz triste:

"Para onde vão os atores depois de fazer um filme pornô? Onde moram? Com quem? Eles amam?"

Certamente, digo a ele, muitos têm família, filhos, namorados...

"É... mas eles ostentam uma liberdade mentirosa, que ninguém tem. A auto-suficiência dos atores de pornô é intolerável.

Ninguém é tão livre!", me diz José Maria. O filme pornô quer nos enganar com a liberdade dos atores. Depois da excitação, ficamos tristes. Por quê? Por inveja? Por humilhação? Talvez porque o filme pornô não deixa nada a desejar. A satisfação é tão completa que dá angústia de morte.

Os atores pornôs nos mostram tudo, até o interior de seus ânus e suas vaginas. Só não nos mostram suas fragilidades, seus medos. Mostram tudo, para não mostrar nada.

Ouvindo isso, José Maria me diz que a fragilidade humana só aparece por acaso no filme pornô. Aparece num rosto juvenil, num tremor de medo, num pau que fica à "meia-bomba" de um ator mais tímido. Na "meia-bomba" está toda a humanidade. A vida pinta no filme pornô quando menos se espera.

De repente, surge o clássico com Linda Lovelace, terminando um "felatio", com a "garganta profunda" tomada pelo maior pênis do mundo e erguendo o rosto livre para a câmera, coberta de lágrimas e esperma como uma heroína santificada. É dos grandes closes do cinema e lembra os primeiros planos da *Paixão de Joana d'Arc* de Dreyer, com uma Falconetti puta na cruz de um pênis gigante.

Em seguida, explode na tela uma cena impressionante, com aura do grande cinema: um homem sozinho num motel ama uma boneca inflável, com todas as tonalidades do amor: com afeto, com carinho, com desespero, com ódio. A boneca inflável responde a cada gesto seu, numa reação de espelho a cada tremor do homem. E ele fala com a boneca, grita com ela, bate nela, e o desamparo da boneca aumenta o desespero do sujeito que vai entrando em delírio e espancando a mulher de látex. E ali se percebe uma sugestão de necrofilia, se vê a brutal solidão do amor, num crescendo de desespero que termina com o orgasmo do homem sozinho, chorando sobre o corpo inerte da mulher. O cinema pornô ilumina a solidão devastada de todos nós.

O cinema pornô, como o mundo de hoje, quer mostrar que a coisa é a coisa mesma, como nos crimes decifrados. O filme pornô é uma viagem para dentro. O filme pornô quer nos cegar com tanta visibilidade. Assim está o mundo. Tudo tem que ter contornos claros, valor claro, como nos mercados. A pornografia está geral no mundo, na política. O mundo moderno detesta a dúvida. A pornografia é muito mais profunda que a garganta de Linda. Após a penetração absoluta, o gozo absoluto, não resta mais espaço para nenhum desejo novo. Que resta?

José Maria me mostra palidamente um velho rolo de Super-8. "Está aqui a resposta. Sabe o que é um *snuff movie?*" Sim, eu sabia, e achei mais um elo da minha pobre pesquisa. No *snuff movie* a atriz (sempre uma mulher, a vítima) é assassinada, sem saber, na frente da câmera. O *snuff movie* filma a morte real, o crime real. Esses filmes clandestinos eram disputados nos EUA. A saciedade de todos os desejos chama-se morte. Não mais a morte iminente da guerra total, mas a morte inscrita em cada objeto, nesta crueza de fim de história em que vivemos – a pornopolítica.

"Clinton foi cinema; Bush é pornô", me diz José Maria, desligando os vídeos todos. E descemos o elevador do imenso conjunto. Será que o mundo quer ver a própria morte?

No elevador, o cabineiro com um jornal na mão puxa conversa. "Este país tá uma esculhambação, meu amigo, olha aqui... Tá uma miséria!..." E mostrava a folha do jornal, com cadáveres decapitados. Mais um elo se fechou. O Brasil estava para o mundo como seus filmes pornôs para os de Los Angeles. A pornografia brasileira vai muito além dos filmes das lojinhas.

O filme pornô estende sua luz para ajudar a entender o Brasil. Faz-se um filme pornô com os mesmos motivos com que se faz uma maracutaia política. Os roteiros são os mesmos, mesmos os diálogos, mesmos os movimentos de câmera. Come-se o Brasil como se comem as pornoatrizes. Como no filme pornô, não se esconde mais nada. O "porno-corrupto" de hoje é explícito, se orgulha disso, na política ou na violência.

Despeço-me de José Maria na avenida 23 de Maio tarde da noite.
- Eu moro perto, vou a pé - diz ele.
- E a Jeanne Fine, hein? - pisco para ele.
- É um sonho... - diz ele se afastando.

Enquanto busco o táxi, sei que estamos ligados pela mesma mulher.

Viva a crise!

A CRISE É BOA. Nada melhor que uma crise para nos dar a sensação de que a vida muda, que a história anda, que a barra pesa. A crise nos tira o sono e nos faz alertas. A crise nos faz importantes pois, subitamente, todos se preocupam conosco – nós, a opinião pública, nós, o "povo", nós, os babacas que todos prefeririam na sombra, na modorra, e que, de repente, podem sair batendo panelas nas ruas. A crise nos inclui na política. Aliás, crise no Brasil é quando a política fica visível para a população.

A crise é boa porque acabaram as crises cegas, radiofônicas, anos 50. Hoje as crises são on-line, na internet, nos celulares, com todas as sacanagens ao vivo, imediatas. A crise é uma aula, quase um videogame. A crise é um *thriller* em nossas vidas.

A crise nos permite ver a verdade. Mas como – se todos mentem o tempo todo? A crise nos ensina a ver a verdade de cabeça para baixo. Ensina que a verdade é o contrário de tudo que dizem os depoentes, testemunhas e réus. A verdade é tudo o que os políticos negam.

A crise é boa para conhecer tipos humanos. Temos de tudo – uma galeria de personas, de máscaras, de bonecos de engonço, de mamulengos, temos um reality show sobre o Brasil, temos o desfile de caras, de bocas, de mãos trêmulas, de risos e choros constrangidos, temos as vaidades na fogueira, os apelos à razão, temos os clamores de honradez, os falsos testemunhos, vemos os alicerces do país aparecendo, a lama debaixo das dignidades, temos os intestinos, os pés de barro, os nós na tripa, temos os apêndices supurados, temos os miasmas que nos envenenam aparecendo sob a barra da saia de juízes e desembargadores, as sujeiras escorrendo sob as frestas da lei. E tudo vai diplomando o povo em ciência política.

A crise é boa também para acabar com alegorias proletárias, com a crença de que operário teria um saber metafísico e santificado, e mostra que para ser presidente tem sim que estudar e ter competência.

A crise é também aula de teatro. A crise nos revelou a revolução dramática de Roberto Jefferson. Trata-se de um "Gargântua", um ex-Pantagruel, um raro tipo rabelaisiano que se virou ao avesso e transformou merda em ouro, mentira em verdade. Jeff é o anti-herói heróico. Jeff conhece a boca do boi, a baba das coisas, a barra-pesada. A verdade de Jeff tem a legitimação do crime assumido. Jeff suja a limpeza e não denuncia exceções, mas exibe a regra.

Crise também é cultura. A crise é Brecht, Shakespeare, Nelson Rodrigues. A crise tem até a casa da mãe Joana, Jeanne.

Jeff nos mostrou que o crime político não é um defeito; é uma instituição. Jeff é a prova de tudo o que Sérgio Buarque estudou. Se Jeff não existisse, tudo estaria rolando no banho-maria do PT e do Dirceu-2010. Ouso dizer: por vielas mal freqüentadas, Jeff fez um grande bem ao Brasil. Jeff faz dupla com Dirceu, seu alter ego, seu espelho. Não haveria um sem o outro. Dirceu desprezou Jeff e este o destruiu.

A crise ensina que a salvação do país é destruir os esquemas que Jeff denunciou e que a destruição do país seria seguir o que Dirceu queria. A crise nos espanta: como um sujeito só, como Dirceu, consegue acabar com 25 anos de um partido, com um governo e consigo mesmo? A crise nos ensina o horror do narcisismo totalitário.

A crise ensina que os velhos "revolucionários" têm um comportamento parecido com os políticos oligárquicos. Ambos trabalham na sombra, na dissimulação, no cabresto dos militantes.

A crise acaba com a mitificação do PT como o partido dos "puros". Acaba essa bobagem messiânica em que muito intelectual acreditou. A crise humaniza os petistas, pois os há honestos, românticos, corretos, e os há também ladrões, medíocres, famintos e boçais. A crise vai reformar a idéia de "esquerda" no país. Vai criar uma esquerda mais verdadeira, mais útil, mais possível. A crise acabará com os fins justificando os meios, a crise acaba com o "futuro" e nos trará o doce, o essencial presente, a crise nos dá uma porrada na cara para deixarmos de ser bestas.

A crise ensina que ninguém é "revolucionário" ou "herói" ou "comandante supremo" ou "companheiro"; as pessoas são narcisistas, compulsivas, agressivas, dependentes, invejosas, fracassadas, com problemas sexuais. A crise ensina mais Freud do que Marx. A crise mostra que a velha esquerda não tem programa; tem um sonho. Que vira pesadelo.

A crise ensina que muito mais importante que estudar a miséria do país é estudar a "riqueza" do país. A crise mostra que não adianta mostrar os horrores da miséria e dos despossuídos. São conseqüências da verdadeira miséria que nasce nos intestinos das classes altas. A miséria é a riqueza, a miséria é a própria política.

A crise ensina que revolução no país tem de ser administrativa e não "de ruptura". A crise ensina que nossa política é tão medíocre que nos últimos meses bastou a economia; política não fez falta. A crise mostra que o Brasil progride enquanto dorme.

A última vez que eu vi Fidel Castro

O Lula foi a Cuba e eu também fui. Só que fui em 1987, quando tive a ocasião de conhecer Fidel Castro, que era e é ainda a grande atração turística para os intelectuais que visitam a ilha. Eu fui para um Festival de Cinema de Havana e ansiava por conhecer o comandante. Jovens de hoje não entendem como é difícil para minha geração falar mal do Fidel, condenar os fuzilamentos, as burrices que ele anda fazendo, porque ele "era tudo". Imaginem um bando de garotos barbudos, lindos, com metralhadoras na mão, tomando a ilha, expulsando o ditador e fundando o socialismo, sonho máximo de generosidade e beleza que tínhamos. Era apaixonante. Que saudades eu tenho daquela fé e esperança, tão diferente do bode preto que vivemos hoje, quando o único consolo é o cinismo.

Muito antes de ir a Cuba, eu já sonhava com ela, eu e meus amigos que faziam comigo o jornal dos estudantes, em 62/63. Eu era editor e às vezes ficava até tarde na Lapa, na redação do

Diário de Notícias, para "fechar" nosso jornal. O socialismo era nossa religião e os operários eram nossos santos, símbolos do futuro. Os operários detinham a força de mudar o mundo, bastando que tivessem "consciência política". Eu via os operários como líderes, sentia até mesmo em sua ignorância uma beleza "pura", uma grandeza simples, superior.

Como amávamos os operários!... Na alta madrugada, fechando o jornal no chumbo, eu os olhava levando as páginas para prensar na calandra; seus braços fortes pareciam saídos de uma gravura soviética. Andava atrás deles, com ensinamentos políticos, elogios, sorrisos. Alguns, hoje vejo, ficavam desconfiados de tanto amor. "Serão bichas?", pensavam eles. Não; éramos apenas comunistas.

Passaram-se vinte e tantos anos e em 87, finalmente, vou a Cuba. Tive até medo de ir, para não estragar minhas saudades de um tempo de certezas, mas um amigo canadense, chegado de lá, cético e frio, me disse:

– *Go. They have very good jazz and good lobsters.*

Fui. Comi lagostas no ex-palácio do milionário Dupont em Varadero e ouvi o grande Arturo Sandoval. Mas minha primeira impressão foi um choque: as casas de Cuba não estavam pintadas; todas as fachadas de tradição espanhola descascavam em verde pálido ou em rosa desmaiado, e senti ali o primeiro calafrio de decepção, com o descuido da beleza. Aliás, o que mais me entristeceu no socialismo foi a ineficiência geral que eu senti em Cuba. O filme *Guantanamera*, de Gutiérrez Alea, é um retrato perfeito da incompetência burocrática. Mas minha fé e meu amor, mesmo em 87, me fizeram esquecer os problemas para eu me banhar no sonho que visitava.

Pois bem, uma noite, fui convidado para um coquetel no Hotel Nacional, celebrando o Festival de Cinema. E a grande atração era que Fidel iria lá nos conhecer. Suspense geral entre os convidados. Tudo ficava meio provisório, porque Fidel iria chegar. Lá pelas tantas, estou de costas para a porta e senti a chegada do comandante, cercado de seguranças, que entrou pela sala como um trem. Fidel foi cercado por todos, latinos, europeus, asiáticos. Uma amiga a meu lado fez uma crítica: "Uniforme de tergal, com esse verde horroroso... Tinha de ser de puro algodão e, sei lá, outro verde..." Senti a crise do socialismo estampado naquele uniforme.

Mas tudo era pequeno diante da presença de Fidel. Era a materialização do herói mitológico, como se Aquiles aparecesse à minha frente. Enfiei-me no meio do grupo que o cercava e consegui chegar até bem perto dele. "Comandante...", falei com firmeza. Fidel me olhou, sorriu e me deu a mão. Arfante de emoção, agarrei a mão de Fidel e comecei a falar: "*Soy de Brasil... y hago peliculas...*" Mas o grupo de tietes era voraz e Fidel foi empurrado para o outro lado da sala. Firme em meu propósito, continuei agarrado em sua mão, enquanto ele respondia à pergunta de um asiático chatíssimo falando do bloqueio. Fidel jogava como um barco e eu ali, grudado, não largava sua mão. Lembro até hoje que sua mão era quente e larga, a palma generosa e muito macia. Sua mão se aninhava confortavelmente na minha, enquanto eu tentava lhe falar. "Comandante...", comecei de novo, gago de emoção. Fidel me olhou, vagando naquele mar de gente, e eu, feito um náufrago da revolução, pressionava sua mão com fé, sorrindo-lhe, fixando-me em seus olhos para ele me ouvir.

Foi então que a mão de Fidel começou a sentir por demais a presença da minha. Sua palma começou a tremer, a estranhar aquele contato. O que fora uma irmanação política de "companheiros" foi virando uma intimidade física, com as duas peles se colando. Uma finíssima camada de suor umedeceu a palma do comandante, pois se apagava a fina fronteira entre a amizade revolucionária e o perigo homossexual: dois homens ali de mãos dadas. E a mão de Fidel começou a querer se libertar do firme aperto da minha. Ela tentou sair pela direita, pela esquerda, se contorceu, úmida, se apinhou em dedos juntos e foi se desprendendo da minha, que insistia no aperto emocionado. Eu lutava para não largar a palma do comandante, mas sua mão, cada vez mais impaciente, se apequenou e, num esforço, quase um solavanco, conseguiu se libertar da minha, enquanto o olhar espantado de Fidel cortou o meu olhar por um segundo. "Será que é uma bicha brasileira, infiltrada?", tenho certeza de que ele pensou. Não; não era uma bicha; apenas um ex-comunista, Comandante.

Eu não gostava do papa João Paulo II

ESCREVI ESTE TEXTO enquanto assistia à morte do papa na TV. E me espantava com a imensa emoção mundial, e também comigo mesmo: "Como eu estou sozinho!", pensei.

Percebi que tinha de saber mais sobre mim, eu, sozinho, sem fé alguma, no meio desse oceano de pessoas rezando no Ocidente e Oriente. Meu pai, engenheiro e militar, me passou dois ensinamentos: ele era ateu e torcia pelo América Futebol Clube. Claro que segui seus passos. Fui América até os 12 anos, quando "virei casaca" para o Flamengo (mas até hoje tenho saudade da camisa vermelha, garibaldina, do time de João Cabral e Lamartine Babo), e parei de acreditar em Deus.

Sei que de *mortuis nihil nisi bonum* ("não se fala mal de morto"), mas devo confessar que nunca gostei desse papa. Por quê? Não sei. É que sempre achei, nos meus traumas juvenis, que papa era uma coisa meio inútil, pois só dava opiniões genéricas sobre a insânia do mundo, condenando a "maldade" e pedindo uma "paz" impossível, no meio da sujeira política.

Quando João Paulo entrou, eu era jovem e implicava com tudo. Eu achava vigarice aquele negócio de fingir que ele falava todas as línguas. Que papo era esse do papa? Lendo frases escritas em partituras fonéticas... Quando ele começou a beijar o chão dos países visitados, impliquei mais ainda. Que demagogia! – reinando na corte do Vaticano e bancando o humilde...

Um dia, o papa foi alvejado no meio da praça de São Pedro por aquele maluco islâmico, prenúncio dos tempos atuais. Eu tenho a teoria de que aquele tiro, aquela bala terrorista despertou-o para a realidade do mundo. O papa sentiu no corpo a desgraça política do tempo. Acho que a bala mudou o papa. Mas fiquei irritadíssimo quando ele, depois de curado, foi à prisão "perdoar" o cara que quis matá-lo. Não gostei de sua "infinita bondade" com um canalha boçal. Achei falso seu perdão que, na verdade, humilhava o terrorista babaca, como uma vingança doce.

E fui por aí, observando esse papa sem muita atenção. É tão fácil desprezar alguém, ideologicamente... Quando vi que ele era "reacionário" em questões como camisinha, pílula e contra os arroubos da Igreja da Libertação, aí não pensei mais nele... Tive apenas uma admiração passageira por sua adesão ao Solidariedade do Walesa, mas, como bom "materialista", desvalorizei o movimento polonês como "idealista", com um Walesa meio "pelego". E o tempo passou.

Depois da euforia inicial dos anos 90, vi que aquela esperança de conciliação política no mundo, capitaneado pelo Gorbatchev, fracassaria. Entendi isso quando vi o papai Bush falando no Kremlin, humilhando o Gorba, considerando-se "vitorioso", prenunciando as nuvens negras de hoje com seu filhinho no poder. Senti que o sonho de entendimento socialismo-capitalismo ia ser apenas o triunfo triste dos neoconservadores. O mundo foi piorando e o papa viajando, beijando pés, cantando com Roberto Carlos no Rio. Uma vez, ele declarou: "A Igreja Católica não é uma democracia." Fiquei horrorizado naquela época liberalizante e não liguei mais para o papa "de direita".

Depois, o papa ficou doente, há dez anos. E eu olhava cruelmente seus tremores, sua corcova crescente e, sem compaixão alguma, pensava que o pontífice não queria "largar o osso", e ria dele como um anticristo.

Até que, nos últimos dias, João Paulo II chegou à janela do Vaticano, tentou falar... e num esgar dolorido, trágico, foi fotografado em close, com a boca aberta, desesperado.

Essa foto é um marco, um símbolo forte, quase como as torres caindo em NY. Parece um prenúncio do Juízo Final, um rosto do Apocalipse, a cara de nossa época. É aterrorizante ver o desespero do homem de Deus, do Infalível, do embaixador de Cristo. Naquele momento, Deus virou homem. E, subitamente, entendi alguma coisa maior que sempre me escapara: aquele rosto retorcido era o choro de uma criança, um rosto infantil em prantos! O papa tinha voltado a seu nascimento e sua vida se fechava. Ali estava o menino pobre, ex-ator, ex-operário, ali estavam as vítimas da guerra, os atacados pelo terror, ali estava sua imensa solidão igual à minha. Então, ele morreu.

E ontem, vendo os milhões chorando pelo mundo, vendo a praça cheia, entendi de repente sua obra, sua imensa importância. Vendo a cobertura da Globo, montando sua vida inteira, os milhões de quilômetros viajados, da África às favelas do Nordeste, entendi o papa. Emocionado, senti minha intensíssima solidão de ateu. Eu estava fora daquelas multidões imensas, eu não tinha nem a velha ideologia esfacelada nem uma religião para crer, eu era um filho abandonado do racionalismo francês, eu era um órfão de pai e mãe. Aí, quem tremeu fui eu, com olhos cheios d'água. E vi que Karol Wojtyla, tachado superficialmente de "conservador", tinha sido muito mais que isso. Ele tinha batido em dois cravos: satisfez a reacionaríssima Cúria Romana, implacável e cortesã, e, além disso, botou o pé no mundo, fazendo o que italiano algum faria: rezar missa para negões na África e no Nordeste, levando seu corpo vivo como símbolo de uma espiritualidade perdida. O conjunto de sua obra foi muito além de ser contra ou a favor da camisinha. Papa não é para ficar discutindo questões episódicas. É muito mais que isso. Visitou o Chile de Pinochet e o Iraque de Saddam e, ao contrário de ser uma "adesão alienada", foi uma crítica muito mais alta, mostrando-se acima de sórdidas políticas seculares, levando consigo o Espírito, a idéia de Transcendência acima do mercantilismo e ditaduras. E foi tão "moderno" que usou a "mídia" sim, muito bem, como Madonna ou Pelé.

E, nisso, criticou a Cúria por tabela, pois nenhum cardeal sairia do conforto dos palácios para beijar pé de mendigo na América Latina. João Paulo cumpriu seu destino de filósofo acima do mundo, que tanto precisa de grandeza e solidariedade.

Sou ateu, sozinho, condenado a não ter fé, mas vi que, se há alguma coisa de que precisamos hoje, é de uma nova ética, de um pensamento transcendental, de uma espiritualidade perdida. João Paulo na verdade deu um show de bola.

Precisamos de um choque de realidade

Eu estava galopando em minha condição de asno, quando a ferradura bateu numa pedra e tive uma fagulha de inteligência.

"A idéia de uma 'solução geral' para o crescimento da economia brasileira é herança dos velhos tempos da esquerda centralizadora", pensei. "Para haver progresso, há que esquecer 'planos b' ou algo assim; temos de abandonar a idéia de uma política 'central, geral, total', como nos planos qüinqüenais da URSS ou nos 'saltos para a frente' da China de Mao. Somente uma política econômica indutiva, repito 'indutiva', descentrada e pragmática, com mudanças possíveis, pode ir formando um tecido de parcialidades que acabem por mudar o conjunto."

Não sou economista, mas sei que em ações de governo, muitas vezes, detalhes "micro" são mais importantes que uma lógica totalizante, geral. A palavra-chave é "indução", conceito que é uma das fobias do pensamento filosófico. Bom mesmo sempre foi uma boa causa universal que abranja tudo, o "todo", o "uno", o "âmago" do qual se "deduz" o particular. Esse é o grande charme, o "baratão" do pensamento, que se sente "divino", abarcando tudo, como um deus único.

A filosofia européia "continental" sempre trabalhou mais assim. É uma herança da religião e do mito. Já o pensamento "indutivo" tem uma tradição mais anglo-saxônica (Hume, J. S. Mills) e é mais pragmático, porém mais antipático do que a "dedução", porque não serve para grandes conclusões. Não é por acaso que o pensamento indutivo e pragmático nas ciências e na filosofia acelerou muito mais o progresso, de dentro da revolução comercial e conceitual inglesa. Regeu o ritmo do capitalismo e dominou o mundo. E hoje, com o mundo ao avesso, não dá para "deduzir" mais nada. Desculpem o papo-cabeça, mas vamos lá.

Voltando ao chão brasileiro, vemos que o velho vício da dedução nos leva à paralisia, diminui a imaginação, a coragem de experimentar. Uma ideologia em bloco amarra uma coisa na outra.

Por esta razão, muitas vezes na história brasileira o acaso e a invasão de fatos inesperados do Exterior têm provocado mais avanços modernizadores do que políticas genéricas de governos do Brasil. A chamada globalização da economia é um bonde carregado de problemas novos? Sim. Pode nos jogar num vazio de excluídos? Pode. Mas teve a vantagem de nos botar em contato com um pensamento mais livre, mais "indutivo". A globalização rompeu as paredes da "taba imaginária" em que vivíamos. O apagamento de fronteiras culturais com o mundo nos tirou de uma sensação de passado, de um sonho de futuro, e nos colocou mais no presente. A importância da internet, dos celulares, a interdependência com o vasto planeta nos livrou um pouco da alma de vira-lata tupiniquim. Um maior contato com métodos de gestão mais anglo-saxônicos trouxe dinamismo para empresas, com uma nova ética administrativa.

Aliás, a própria quebra do Estado brasileiro, no meio dos anos 80, foi ruim e boa. Deu-nos uma orfandade dolorosa diante do gigante quebrado, mas criou mais autonomia na sociedade civil. Deixou claro que o Estado tem de existir para a sociedade e não o contrário. Já deixamos de ser vítimas e passamos a ser cúmplices. Ao contrário do simplismo de ver tudo por uma ótica generalizante, as mudanças na economia mundial nos mostraram a importância das pequenas causas que podem derrubar um universo inteiro. Trouxe a idéia de eficiência contra o delírio ideológico. Muito mais importante que lamentar a pobreza é descobrir formas de combatê-la. Há grande distância entre diagnóstico e solução. Muitos se contentam com o apontamento deprimido dos problemas, como se conseqüências fossem causas. Melhoramos muito com a idéia do "possível", em vez da velha bravata das utopias. E muitos já entenderam que isso não é covardia ou omissão; é sabedoria e prudência. A idéia ridícula de "utopia" está fora de moda, finalmente, graças a Deus. A tal "mão invisível" do mercado pode nos dar bananas, claro. Por outro lado, o conceito de "mercado" facilita a auto-regulação da vida social e econômica do país, sim.

O "mercado" pode ser um termômetro dos perigos da imprudência econômica, pode ser um sensor dos desejos sociais, um amenizador de certezas burras e relativizador de um poder público que tende para o autoritarismo.

Mudar o país tem de ser por dentro, e não uma intervenção populista, ditatorial ou golpista. A democracia brasileira, em sua prática, se for mantida, vai expelindo os micróbios que a atacam. Por isso, neste texto-cabeça, nesta faísca da ferradura que me calça os pés, vejo com esperança e com otimismo que muitas novidades que nos parecem detestáveis e prejudiciais podem trazer novas idéias operativas que ajudarão a reformar o país. Como escreveu Sérgio Buarque de Holanda (e ninguém ligou muito), só uma "revolução americana" pode nos ajudar. E ela tem de ser inventada.

Qual é a alma do cinema?

MUITA GENTE CHEGA para mim e diz: "Como é?... Você não vai voltar a fazer cinema?" "Sei lá", respondo. E penso: "Que cinema? Comercial, metafísico, político, experimental? O quê?" Às vezes, me dá vontade de filmar alguma coisa tênue, poética, não mergulhada no labirinto de produção e distribuição. Nos anos 60, buscávamos um cinema essencial, o chamado "específico fílmico", que estaria talvez nos filmes de Eisenstein, ou em Murnau, ou em Dreyer, sei lá. Os cinéfilos pensavam: "Qual é a alma do cinema? O que é o cinema?" Isso me faz lembrar de uma frase do grande cineasta-fundador Humberto Mauro que, daqui a pouco, eu conto.

Tenho saudades do cinema, sim, justamente nesta época em que as imagens inundam nossos olhos e ouvidos. Mas tenho saudades de outro cinema, da fragilidade dos filmes antigos e da idéia do "objeto único" a que eles almejavam. Pouco antes de sua morte, conversei com Louis Malle sobre isso, no Rio – falamos do sonho dos anos 60, alimentado pelo *Cahiers du Cinema*, pelos círculos de fumaça dos "Gitanes" sem filtro, saudades do *frisson* culto das cinematecas. Atualmente, a cinefilia soa quase como um vício sexual; talvez tenha sido. Há um mundo secreto, próprio do cinema, que só alguns ainda conhecem. Hoje o cinema é nu. Está exposto nas lojas, feiras e bancas de jornais, está nas TVs, está rodando bolsinha nas ruas. Mas, se eu reclamo dessa profusão, dizem: "Ahh, qual é a tua, cara? Isso é bom para o cinema, aumenta a difusão no mercado etc. e tal." Talvez, talvez, mas tenho saudades da sala escura, do cinema dos pobres tímidos, do cinema como ilusão solitária, realidade alternativa que analisávamos noite adentro nos bares. Como era bom esperar um filme do Fellini, e o novo Antonioni, e o novo Godard...

Não chego a ser um cinéfilo puro. Falta-me o gosto arquivista, o detalhe das fichas técnicas remotas, o mundo das fofocas de Hollywood. Mas tive e tenho amigos que me calam de respeito. Cinéfilo era, por exemplo, o Manuel Puig, o escritor e roteirista argentino que morou no Rio. Ele sabia tudo de qualquer filme. Li um artigo sobre os últimos dias de Puig em Cuernavaca, no México. O relato era uma cena digna dos melodramas B que ele amava. Em sua vida, Puig tinha adotado dois "gays" jovens que ele chamava de suas "filhas". Uma delas era Yasmin, "filha" dele com o Ali Khan – pois Puig brincava com a fantasia de ser a Rita Hayworth; a outra (esqueci o nome) era "filha" dele (dela) com Orson Welles.

Pois bem, uma noite, velando por sua agonia, à beira do leito do hospital, a Yasmin achou que Puig já estava em coma. Mas, na esperança de uma melhora, resolveu testar os sinais vitais de sua "mãe". Segredou-lhe: "Mamãe... ontem eu vi *Stella Dallas* do King Vidor na TV... chorei tanto..." Eis que a "mãe" Puig balbuciou-lhe do leito: "É... a Barbara Stanwick está ótima..mas o John Boles nunca me emocionou muito." Yasmim, a bichinha cinéfila, caiu em prantos e ligou eufórica para a "irmã": "Mamãe está melhorando!"

Naquela época, o cinema ainda tinha a tal "alma" que hoje desapareceu nos supermercados e videoclubes. Por isso, me lembrei do Humberto Mauro, que conheci já velhinho.

Quando ele fazia seus filmes nos anos 20/30 nos fundos de quintal em Cataguases e, depois, na Cinédia, todo amigo que ele encontrava na rua dizia: "Humberto, meu querido, você precisa ir ao meu sítio filmar a cachoeira que tenho lá! Você vai ver que cachoeira!" E o Humberto Mauro ficava com aquilo na cabeça: "Por que querem que eu filme cachoeiras?" Toda hora era isso: "Rapaz, eu vi uma cachoeira incrível num lugar assim, assim, pra você filmar!" Humberto Mauro não entendia por quê. Um dia, ele deu uma palestra num cineclube do interior quando, na volta, já na estação, atrasado para pegar o trem, um dos garotos agarrou-o pelo paletó e suplicou-lhe que decifrasse o grande enigma: "Seu Mauro, afinal de contas, diga, qual é a essência, a alma do cinema?" E o velho Mauro, em meio à fumaça da locomotiva, teve a grande intuição e deu-lhe a resposta inapelável: "Cinema, meu filho, é cachoeira! É cachoeira!" Esta frase ficou famosa entre os então "amantes da Sétima Arte". E ela me remete a outra definição, do filósofo Henri Bergson, a quem os irmãos Lumiere mostraram sua recente invenção: "Creio que o cinematógrafo será útil para sabermos, no futuro, como os antigos se moviam..."

Talvez seja esta a "essência" do cinema: registrar a morte comendo a vida. Hollywood é um lancinante cemitério de estrelas. São beijos e olhos e corpos embalsamados no tempo da película. Fred Astaire dança no ar do nada, James Dean anunciava sua morte na interpretação de uma melancolia trágica. Sei como dói amar uma morta – eu que me apaixonei por Brigitte Helm em *Metropolis* e amei as pernas perfeitas de Louise Brooks e Cid Charisse, na necrofilia da sala escura.

Por isso, a idéia de cachoeira é a melhor metáfora. Só o movimento tem de ser filmado. Só as cachoeiras devem ser retratadas na busca de alguma verdade. A grande desilusão do século XX foi a tentativa de capturar a vida incessante em fórmulas que a esgotassem.

Não há uma realidade que se congele. Buscá-la, tanto no cinema quanto na política, é fracasso certo.

Hoje, vemos que, quanto mais aberta a máquina do mundo, mais vazia e misteriosa ela se torna. A fome de decifrá-la, digitalizá-la, descrevê-la não a condensa nem explica; ao contrário, dá em tragédia. Hoje, tanto no fanatismo do Oriente quanto no monolitismo da massificação ocidental, vemos esse perigo e desejo.

Na verdade, somos uma cachoeira olhando a outra, e nossas ações têm esse fracasso fundamental: por mais que olhemos no fundo das coisas, nunca veremos fim ou início. A cachoeira é a melhor definição do cinema ou da vida.

Finalmente vemos a cara suja do Brasil

NÃO SEI O que vai nos acontecer. Ninguém sabe. Mas aprendemos muito sobre o Brasil com essa crise. É um esplendoroso universo de fatos, de gestos, de caras, de palavras que eclodiram diante de nossos olhos nas últimas semanas. Meu Deus, que riqueza, que profusão de cores e ritmos em nossa consciência política! Que prodigiosa fartura de novidades da sordidez social, tão fecunda quanto a beleza de nossas matas, cachoeiras e cachoeirinhas, nossas várzeas e flores. Estudos sociais, filosofias políticas, nada entra na cabeça do povo; mas as imagens na TV, nos jornais, penetram em nossa cabeça. Estas ficarão:

A mão displicente do Maurício Marinho pega os três mil reais que surgem no canto do quadro e ele os embolsa, deixando-a escorregar para dentro do paletó, com a calma de quem recebe um troco de cafezinho, e o espetáculo shakespeariano de Jefferson na Câmara, com sua camisa lilás de candomblé, tão Brasil, tão nosso, sua impecável ausência de suor, seu rosto frio, seus biquinhos, suas mãos ondulantes, suas pausas dramáticas... ahhh... suas pausas que poucos atores ousariam, longas, criando a *suspension of disbelief*, a expectativa, culminando em dedos espetados, sorrisos sardônicos, e "Vossas Excelências" para todo lado e a maravilhosa evocação da cena de Jeff com seus olhos de Ricardo III gordo fitando Waldemar da Costa Neto e Sandro Mabel e Pedro Correa e tantos, e apontando-lhes o dedo, com a autoridade de um catedrático.

Oh... Deus, como temos aprendido com esse grande didata, maior que o predecessor PC Farias, revelando-nos esse mundo que se nos abre como uma máquina clara, e o suor desgrenhado de Waldemar e a lividez de Sandro Mabel se defendendo em nome dos filhos e dos seus 3.500 empregados mal pagos ouvindo tudo, gozando com sua desdita, e os rostos em pânico naquela sala do Congresso, caras de fuinhas, de furões, de cangurus, de tamanduás, rostos "goyescos" como nunca em Brasília, uma exposição de bichos covardes, uma feira agropecuária ali na Câmara. E as palavras solenes? "Minha honra", "aleivosias contra mim", "nobres deputados", ostentando pureza, angelitude, candor, pudicícia, melindres, pejo, com palavras encobrindo a impudicícia, a pacholice, o despudor, a bilontragem nas cumbucas, o medo, o medo em todos os olhos, o rosto apavorado de Genoino ocultando a depressão do Delúbio e a carequinha falante do Marcos Valério de Minas, com tentáculos de bilhões, oh Senhor... quanto estamos aprendendo, vendo finalmente a secular engrenagem latrinária que funciona muito abaixo dos esgotos, dos encanamentos, abaixo das ilusões dos cientistas políticos da pátria, os intestinos da política ao vivo, e a ex-mulher de Waldemar, Maria

Christina, em uma escada de ouro e bronze ameaçando contar verdades sobre o ex-marido, tudo misturado num sarapatel, o amor, o sexo, o público e o privado no país, que delícia, que doutorado sobre nós mesmos, e o Genu, o recém-chegado "João Mercedão", valete nos repasses na pensão do José Janene do "mensalão", esse nome proxenético como uma menstruação, e os bens adquiridos e os súbitos aumentos de patrimônio, as declarações de renda falsas, os carrões, os iates, as casas com piscinas em forma de vaginas, as surubas lobistas no Lago Sul, os "fins justificando os meios" em dólar dentro de maletas pretas com a estrela vermelha do PT e os diagramas das estatais, as estatais endinheiradas com o afilhado desse aqui, e ali o filhinho do outro e acolá o gatuno crapuloso, e, sempre, em cada nicho, em cada buraco de rato, um ladravaz, um trabuqueiro na espreita.

E as coxas da loura ao lado de Severino, a calcinha aparecendo e sua imensa mulher ogra esperando-o em casa com o cacete na mão? E a sujidade, a porquidão, a espurcícia, a sebentice, a esterqueira, viajando diante de nossos olhos nacionais? E as ameaças de ações penais, as calúnias, injúrias e difamações e os danos morais, e as indenizações pretendidas, e a euforia de advogados, e as promessas a Jesus para proteger os salteadores em pânico, as mandingas, os "trabalhos", os despachos, os banhos de descarrego, as galinhas mortas na encruzilhada e as esposas histéricas com as relações sexuais rareando em Brasília e a súbita tristeza no outrora eufórico Piantella, e o uísque caindo mal, e as barrigas murmurantes, as diarréias, as prisões de ventre.

A visão da paisagem podre vai nos salvar...

Os psicopatas estão chegando

ASSISTI À NOVELA *Celebridade* com fervor. Principalmente pelas personagens que as grandes atrizes Cláudia Abreu, Deborah Evelyn e Ana Beatriz Nogueira encarnaram. Elas nos fascinaram pela ausência de culpa em seus corações e mentes. Antigamente, nos romances, nos filmes, nos identificávamos com as vítimas; hoje, nos fascinamos com os cruéis. Não torcemos mais pelos mocinhos – torcemos pelos bandidos. A verdade é que os heróis das novelas são os malvados. Em *Celebridade,* reparem que os bonzinhos têm até uma certa inatualidade careta. Quem nos fascina são os filhos-da-puta... Por quê? Bem, porque os psicopatas são nosso futuro. Eles encarnam a vida moderna, cada vez mais, pois estamos sendo pautados pela luta absurda de dois psicóticos: Osama de um lado, com seu exército de fanáticos rezando com o rabo para Deus, e, do outro, a mesma coisa com Bush e seus malucos. Nossa esperança com os EUA virou pó.

Antes, pensávamos: os EUA são o máximo! Eles fazem *boeings*, remédios, tecnologia, satélites, eles são democratas e competentes. Bush nos fez desamparados. Como acreditar em harmonia futura, em bom senso, depois dessa revolução da estupidez?

Dentro de casa, nesta era Lula, vivemos uma democracia de massa com o gigantesco aluvião de boçalidade que nos atinge. Com a crise das utopias, com o desemprego e o descaso pela miséria, com a exposição brutal de um escândalo por dia, de vampiros, gafanhotos, "laranjas" e fantasmas, com a propaganda estimulando a ridícula liberdade para irrelevâncias, temos o indivíduo absolutamente sozinho. Isso leva a um narcisismo desabrido que evolui para a psicopatia. Somos hoje *freelancers* sem limites morais em luta por um lugar ao sol. Ou pela fama ou por um golpe na praça – ou ricos ou famosos.

Diante dos cadáveres, da miséria, do cinismo, somos levados a endurecer o coração, endurecer os olhos, endurecer o pau, em busca de um funcionamento "comercial", ou seremos descartados, tirados "de linha" como um carro velho.

Essas condições sociais e culturais vão parindo legiões de psicopatas, muitos deles disfarçados de chiques ou light.

São os loucos do futuro que estão chegando. Falo isso porque as doideiras são históricas também. Já houve a época da histeria com a repressão sexual vitoriana, houve a paranóia do entreguerras. Hoje, respirando num mundo sem lei, sem ética, surge o psicopata. E veio para ficar.

O psicopata, light ou chique, que não faz picadinho de ninguém, que não é *serial killer*, tem, no entanto, as mesmas molas que movem o esquartejador. É fácil reconhecer o psicopata. Ele não é nervoso ou inseguro. Parece muito sadio e simpático. Ele em geral tem encanto e inteligência, forjada na razão pura do interesse sem afetividade ou culpa para atrapalhar. Ele tem uma espantosa capacidade de manipulação dos outros, pela mentira, sedução e, se precisar, chantagem. Não se emociona nem tem compaixão alguma pelo "outro". O que mais me impressionou nas fotos da prisão no Iraque foi o sorriso luminoso das mulheres torturando os presos. Questionado ou flagrado, o psicopata não se responsabiliza por suas ações, sempre se achando inocente ou "vítima" do mundo, do qual tem de se vingar. Ele, em geral, não delira. Suas ações mais absurdas e cruéis são justificadas como "lógicas", naturais, já que o "outro" não existe para ele. Ele não sente nem remorso nem vergonha do que faz (o que nos dá imensa inveja). Ele mente compulsivamente, muitas vezes acreditando na própria mentira, para conseguir poder. Seu fraco "amor" aparece como posse ou controle. Não tem capacidade de olhar para dentro de si mesmo. Não tem *insights* nem aprende com a experiência, simplesmente porque acha que não tem nada a aprender.

E esse comportamento está deixando de ser uma exceção. O psicopata é um prenúncio do futuro, quando todos seremos assim para sobreviver. A velha luta pela ética, pela paz, pela solidariedade está virando uma batalha vã. Esses sentimentos humanos só foram possíveis também "historicamente". Raros foram os momentos em que vicejaram. Os chamados comportamentos "humanos" estão se esvaindo na distância. O que é o "humano" hoje? O "humano" está virando apenas um lugar-comum para uma "bondadezinha" submissa, politicamente correta. O "humano" é histórico também. Talvez não haja mais lugar para esse conceito, que é mutante. Somos máquinas desejantes que nos transformamos com o tempo e a necessidade. Como nas novelas, vemos que o Brasil está se dividindo entre babacas e psicopatas. Antes, os psicopatas tocavam num mistério que não queríamos conhecer. Tínhamos medo deles. Hoje, os babacas estão ficando com uma inveja danada dos psicopatas, por sua eficiência, rapidez e falta de escrúpulos. Estão vendo que essa antiga doença vai ser uma "virtude" no futuro. Estão vendo que terão de ficar loucos como eles para sobreviver. Em breve, seremos todos psicopatas.

A noite em que comentei o Oscar

Vocês já foram o inimigo público número um do país? Não? Eu já fui. Em 97, meu chefe sempre presente Evandro Carlos de Andrade me pediu para comentar a festa do Oscar, ao vivo. Fi-lo. E quase fui linchado, como contarei adiante.

Em minha pobre vida, tive a experiência de ser cineasta. Passei anos lendo os *Cahiers du Cinema* e o *Positif*, no tempo do "cinema de autor" dos anos 60. Para nós, o cinema americano era o supremo inimigo, agente do imperialismo, correio de mensagens colonizadoras sobre nossa mente, propagandista do sonho americano, sonegador da verdade da existência pelo *happy end* obrigatório.

Por isso, quando o Evandro me chamou para comentar o Oscar, eu disse: "Vou esculhambar... hein..." E ele: "Fale o que quiser." E lá fui eu comentar o Oscar, para todo o território nacional. Ao vivo.

Trancados numa salinha da TV Globo: Renato Machado, Rubens Ewald e eu. Nossos únicos espectadores visíveis eram os técnicos, os *cameramen* nos olhando. Comecei dizendo que achava o Robin Williams um canastrão de quinta. Os técnicos riam e faziam sinais de positivo com o polegar. Pensei: "Estou agradando, estou conscientizando o povo brasileiro sobre as mentiras da linguagem de Hollywood."

Aí, me animei e resolvi tacar fogo na festa das estrelas. Sentia-me onipotente, desconstruindo a maciça propaganda americana, vingando Glauber contra o monstro ianque. Debochado, falei que o *Titanic*, que estava ganhando todos os prêmios, era um abacaxi, que o filme só merecia o Oscar de melhor engenharia naval, falei que o Leonardo DiCaprio era meio babaca e afrescalhado, que aquela menina do filme era gordinha e chata. Os negões da técnica rolavam pelo chão e eu nem percebia a sombra de preocupação nos olhos de Renato Machado.

E fui em frente, cada vez mais ousado. Falei que o único filme que merecia algo era o *Kundum*, do Scorcese, filme chatérrimo mas "de arte", falei que o James Cameron era ridículo quando berrou *"I am the king of the world"*, me embalei na função "revolucionária" de salvar a mente dos brasileiros que estavam em casa, tomando cerveja, de bermudas, com os amigos, deliciados com a festa máxima do luxo *yuppie* no dourado pavilhão Dorothy Chandler, diante das bocas abertas de fascinados brasileiros. E critiquei tudo, enquanto o Ewald me olhava com a condescendência sombria que dedicamos a bêbados arruaceiros.

Acabou o programa e eu, herói, me ergui, feliz de minha tarefa "desalienante". Eu estava vingado.

Foi quando começaram a chegar os e-mails para a Globo. O mais respeitoso começava com "Ao canalha Jabor...". No início, me sentia um Sansão atacado por filisteus. "Os inteligentes me saudarão", pensei. Mas os e-mails, telefonemas, fax aumentavam, numa assustadora unanimidade crítica. "Amanhã serei elogiado nos jornais...", pensei, enquanto Ewald e Renato se enfiavam pelos corredores, pálidos. Fui para casa na madrugada com a sensação de ser um polêmico artista dividindo as opiniões do povo. No dia seguinte, cresciam torres de e-mails na redação, vindos do país inteiro, todos pedindo minha cabeça: "Despeçam o sem-vergonha, ponham esse rato no olho da rua!" "Como pode ele chamar o grande Robin Williams de canastrão?" Esse era meu supremo crime. Parecia que eu tinha dito que Cristo não era filho de Deus.

Eu era o inimigo do povo, eu era Al Capone, o Cara de Cavalo, eu era o Collor no *impeachment*. Nas ruas, transido de vergonha, me esgueirava por becos e esquinas. Os mais tímidos apenas me apontavam de longe. Um sujeito grandão se aproximou, me segurou pelo braço: "Cara, eu tenho cara de burro?" "Não...", balbuciei. "Então tu vai me explicar por que o *Titanic* é uma bosta..."

Descobri aterrado que o "espectador brasileiro" não existia mais. Todos eram americanos. Corro para casa e vejo no computador que tinham aberto um site chamado "Eu odeio o Jabor". Corri a amigos meus, minhas filhas, mas percebia que, sob as palavras de consolo, rolava uma vaga hipocrisia, jazia a concordância com a opinião geral. Eu me consolava pensando: "Essa depressão é boa para diminuir meu narcisismo... Bem feito, seu mascarado!..."

Até hoje, de vez em quando, alguém toca nessa ferida aberta. Por isso, jamais comentarei o Oscar. Afinal, eu não passo de um invejoso cineasta-comuna dos anos 60, de um pobre país importador de imagens e exportador de aço, laranjas e sapatos sobretaxados nos Estados Unidos.

Brokeback é um filme sobre machos

Eu não queria ver o filme *Segredo de Brokeback Mountain*. Não queria. Ver filme de "viados", eu? (Escrevo "viado" porque, como disse Millôr, quem escreve "veado" é viado.)

O viado sempre encarnou a ambigüidade de nossos sentimentos. Claro que, hoje, os civilizados todos dizem: "tudo bem, que são contra a homofobia" e todo o *bullshit* costumeiro. Eu mesmo já fiz filmes em que viados são protagonistas, em que o ator principal escolhe o homossexualismo no final (*Toda Nudez Será Castigada*), já filmei travesti em *Eu te Amo* e em *Eu Sei que Vou te Amar*, além da "biba" louca de *O Casamento*, em que o grande ator André Valli dá um show inesquecível. Em todos os meus filmes há uma boneca ativa e digna. E, no entanto, eu não queria ver o tal filme do Ang Lee, apelidado pelos machistas de "Chapada dos Viadeiros".

Minhas razões eram mais discretas, intelectuais: "Ah... porque o Ang Lee é um cineasta mediano, ah... porque será mais um filme politicamente correto, onde o amor de dois caubóis é justificado romanticamente... Vou fazer o que no cinema? Ver mais um panfletinho que ensina que os gays devem ser compreendidos em seu 'desvio'? Não. Não vou", pensei.

Aliás, eu sou do tempo em que os viados apanhavam na cara em plena rua. Havia pouquíssimos gays declarados no Brasil. No Rio, havia o Murilinho... cantor de fox em boates, havia o Clóvis Bornay e poucos outros... O viado passava na rua sob os rosnados dos boçais prontos para lhes tirar sangue. E, no anonimato, enxameavam os pobres "pederastas", de terno e gravata, pais de família se esgueirando nas esquinas, em busca de satisfação.

Mais tarde, com o tempo, surgiram as "bichas loucas", que se assumiam com um toque de autoflagelação, de autoderrisão, caricaturas da mãe odiada e amada, que berravam e desfilavam nos carnavais num frege humorístico, que até hoje alimenta nossos shows na TV. A "bicha" virou uma personagem clássica do humor, como os palhaços e os bacalhaus de circo.

Depois, com os direitos civis dos anos 60, surgiu a *gay power*, com homossexuais fortes e de bigode, malhados, cheios de orgulho. A viadagem virou um poder político importante, claro, mas até meio sério demais, aspirando a uma "normalidade" que contrariava sua "missão" transgressiva que tanto nos acalmava. Como disse Paulo Francis um dia, sacaneando-os: "Se esses caras querem todos os direitos e deveres dos caretas como nós, qual é então a vantagem de ser viado?"

Por mais que "aceitemos" os gays, eles sempre foram uma fonte de angústia, pois atrapalham nossa identidade "clara". O gay é duplo, é dois, o viado tem algo de centauro, de ameaçador. A bicha louca ou o travesti, a biba doida ou o perobo, o boy, o puto, a santa, a tia, a paca, todos eles nos tranqüilizavam com suas caricaturas auto-excludentes. Já o gay sério inquieta. O gay banqueiro, o gay de terno, o gay forte, o gay caubói é muito próximo de nós, a diferença fica mínima.

Por isso, eu não queria ver o tal filme dos caubóis. Como? Caubói de mãos dadas, dando beijos românticos, com tristes rostos diante do impossível? Não. Eu não. Mas, aí, por falta de programa, "distraidamente"... (aí, hein, santa?...) fui ver o filme. E meu susto foi bem outro.

O filme não me pedia aprovação alguma para o homossexualismo, o filme não demandava minha solidariedade. Não. Trata-se de um filme sobre o império profundo do desejo e não uma narração simpática de um amor "desviante". O filme se impõe assustadoramente. Os dois caubóis jovens e fortes se amam com um tesão incontido e são tomados por uma paixão que poucas vezes vi num filme, hétero ou não. *Brokeback* é imperioso, realista, sem frescuras. Eu fiquei chocado quando os dois começam a transar subitamente, se beijando na boca com a fome ancestral vinda do fundo do corpo. O filme não demandava a minha compreensão. Eu é que tinha de pedir compreensão aos autores do filme, eu é que tive de me adaptar à enorme coragem da história. Eu é que precisava de apoio dentro do cinema, flagrado, ali, desamparado no meu machismo "tolerante". Eu é que era o careta, eu é que era o viado no cinema e eles, os machos corajosos, se desejando não como pederastas passivos ou ativos, mas como dois homens sólidos, belos e corajosos, entre os quais um desejo milenar explodiu. Não há no filme nada de gay, no sentido alegre, paródico ou humorístico do termo. Ninguém está ali para curtir uma boa perversão. Não. Trata-se de um filme de violento e poderoso amor. É dos mais emocionantes relatos de uma profunda entrega entre dois seres. Acaba em tragédia, claro, mas não são "vítimas da sociedade". Não. Viveram acima de nós todos porque viveram um amor corajosíssimo e profundo. Há qualquer coisa de épico na história, muito mais que romântica. Há um heroísmo grego, como entre Aquiles e Pátroclo na *Ilíada*, algo desse nível. O filme não é importante pela forma, linguagem ou coisas assim. Não. Ele é muito bom por ser uma reflexão sobre a fome que nos move para os outros, sobre a pulsação pura de uma animalidade dominante, que há muito tempo não vemos no cinema e na literatura, nesses tempos de sexo de mercado e de amorezinhos narcisistas. Este filme amplia nossa visão sobre a sexualidade.

O homem-bomba

Osama se move no deserto com a postura de um Maomé. Bush e seus generais reagem com a paranóia dos estrategistas irracionais.

Osama e seus asseclas não "esquentam"; têm o rosto suave e frio dos loucos sem dúvidas. Bush e a América se movem dentro da história. Osama está fora dela e, por isso, cometeu o atentado que mais mudou a história moderna. Estávamos aprisionados na lógica da razão mercantil e Osama rompeu essa lógica. Osama não é constrangido por nenhum valor ocidental, nem pelo medo da morte. Ele não é detido por nenhum compromisso moral ou humanitário. Nós somos o mal. Ele é o bem. Nós também nos achamos o "bem", mas não temos tanta certeza. Nós tivemos reformas religiosas. Eles não. Mil anos não passaram para eles. Por mais violentos que já tenham sido, os americanos devem respostas à opinião pública. Osama não deve nada a ninguém. Tudo o que ele fizer será aprovado pelos malucos fanáticos. Se explodisse uma bomba atômica na Broadway, seria saudado como santo e herói. Não há humanismo. Só deísmo. É isso que nos desperta indignação: como esse homem dentro de uma caverna pré-histórica ousa confrontar nossa "triunfal" civilização? Pois é esse nosso novo destino.

Com essa imensa liberdade a-histórica, ele criou o primeiro "acontecimento" do século XXI. Esse "acontecimento" puro foi um crime perfeito, justamente por negar qualquer compromisso com a justiça.

Nós sempre tentamos domar o destino, os imprevistos, a insegurança da vida. Osama pode tudo, pode planejar o que quiser: cartas com antrax, garrafinhas de gás soltas nas ruas, suicídios-bomba, produtos químicos no metrô. Sem ritmo, sem rosto, sem pressa. A idéia de "poder bélico" foi abolida. Não é preciso o "poder". Basta a insidiosa vingança que se come fria, basta usar ao avesso todas as conquistas que tivemos, basta o absurdo, o impensável. Sua frase-chave: "Temos milhares de jovens desejando morrer. Vocês têm milhares de jovens querendo viver." Esta é a versão mais sinistra da célebre frase do general franquista: "Abaixo a inteligência, viva a morte!" Osama é um desconstrutor. A América contra-ataca para impor a continuidade de um discurso. Osama quer a ruptura desse discurso. Osama já está pronto. Não há "projeto" no Oriente, não há devir; há o *maktub*, o que sempre esteve escrito. Tudo o que acontece é a confirmação da verdade "figural" do Corão, do que tinha de acontecer. O Islã não tem a dúvida. Islã quer dizer "submissão a Deus". Ao agir, os fanáticos O obedecem e seus atos vêm purificados pelo selo do Criador. Osama é o porta-voz de Alá. Para ele, a verdade já foi atingida. Osama pode estar despertando nosso pior lado, a paranóia racista, ideológica, um neomacarthismo. Osama está nos expondo ao ridículo. Alguém disse: a maior potência do mundo lutando contra os Flintstones.

Uma coisa é certa: a idéia de "vencer" não existe mais, não há vitórias para nós; vamos ter de incluir a morte em nosso dia-a-dia. Não mais poderemos esquecê-la. Ficaremos mais "orientais", fatalistas.

Osama arrebentou nosso mundo logocêntrico. Nosso projeto foi interrompido pelo "intempestivo", o que está fora do tempo. Só um "flintstone" poderia fazer isso: de dentro do deserto, do vazio, do nada. Osama lançou-nos um destino, como um asteróide sobre NY (será que ele viu *Armagedon* ou *Impacto Profundo*?). Mesmo crimes como Hiroshima tinham uma sórdida explicação guerreira: a boçalidade de Truman, a vingança por Pearl Harbour, um exibicionismo nuclear contra a URSS, inaugurando a Guerra Fria. Esse asteróide árabe, não; foi Deus quem mandou seus raios.

Osama fraturou a globalização do mundo. Osama arrebentou nossos universais e mostrou que, no capitalismo, o único universal é o capital. Os fanáticos são movidos por uma loucura maior; trata-se de uma inveja milenar, transcendental. O intelectual Edward Said disse numa entrevista: "O Oriente precisa de uma reforma secular e o Ocidente, de uma reforma espiritual." Osama, a pretexto de odiar as oligarquias sauditas, faz o jogo delas: desloca as reformas seculares que o Islã deveria fazer para a loucura religiosa, para gáudio das oligarquias do petróleo.

Durante a Guerra Fria, a América sempre criou embaraços para governos seculares e reformistas se fixarem no Oriente. Nasser, por exemplo. A América sempre deu força aos fundamentalistas para enfraquecer os comunistas ou os terceiro-mundistas. Deu no que deu: agora só lhe resta a aceitação de uma fatalidade que veio para ficar. *Maktub*, América!

A América pode voltar aos anos 50

Quando morei nos EUA, antes dos gloriosos anos 60, vivíamos no centro da caretice norte-americana, em Saint Augustine, Flórida. Foi em pleno período Eisenhower, época da "geração silenciosa" semelhante à "geração *gump*", que pode voltar a reinar nessa marcha a ré cultural do Bush. Miss Alden era a professora velhinha e progressista (única do colégio) e dizia que a época era burra, que Ike só dizia "platitudes" ("bobagens chatas", aprendi) repetidas pela estupidez geral do país. Tenho medo que a América volte a ser como era nos meus 16 anos.

St. Augustine foi fundada por Ponce de Leon, o espanhol que teria descoberto a fonte da juventude. A cidade parecia toda de brinquedo e sua única atração era, claro, a fonte da juventude devidamente mercantilizada, com recepcionistas louras vestidas à espanhola. De resto, havia em volta os pântanos fervilhantes de jacarés. Era uma maquete da mediocridade do

Sul, onde o brother Jeb Bush ajudou a fraudar a eleição para o maninho George. A cidade era igual àquela do filme *O Show de Truman* – ruas, pessoas, rituais, ternos, gravatas, sorrisos, tudo era programado como uma máquina social eufórica e obsessiva, mas cretina e viciosa, girando no mesmo lugar. Logo depois que cheguei, o Sputnik subiu aos céus. O satélite russo foi um tapa na cara da América. A paranóia se instalou, como se o país estivesse sob invasão, a continuação do pânico de 49, quando a URSS explodiu a bomba H.

Foi quando comecei a desconfiar daquela ordem. Assustado, reparei que a vida e a morte eram padronizadas, previstas – abraços gritados, roupas em série, torcidas histéricas, finais felizes, risos obrigatórios, tudo incluído numa missão comunitária orgulhosa, sem dúvidas, como um carrossel careta girando para nada.

Só uma coisa estava fora da ordem: os negros. Era outra América. Do ônibus amarelo do colégio, eu via meus colegas louros e ruivos berrando da janela contra os negros que passavam: *"Hey, nigger, how come your nose is so flat?"* Havia uma euforia gratuita em humilhar os pretos, que tinham o rosto numa contorção muda, num ódio sufocado e inútil. Eles se amontoavam no fundo dos ônibus, em pé, bebiam em bebedouros estragados para *colored*, moravam num bairrozinho sujo, perto do braço-de-mar onde os barcos pesqueiros de camarão fediam. Não havia a beleza dos negros de hoje, cabelos brilhantes, roupas vistosas, negonas gostosas; tudo era triste, encardido, tudo era medo e humildade. Na *high school*, eu era um *nerd* meio estranho, que não saía para rasgar pneus de carros, que não dançava os rocks do Elvis. Eu era uma curiosidade latina.

Um dia, um dente começou-me a doer. Um canino latejava. Como eu não conhecia ninguém, fui andando em busca de uma placa de dentista e aí começou minha ridícula epopéia.

Passei perto da ponte, entrei no bairro negro e vi um cartaz com um grande dente de plástico pendurado na porta e resolvi entrar no consultório – um ato afirmativo de vingança contra os racistas da cidade. O consultório era de madeira encardida, como quase todas as casas da rua. O dentista magro e curvado me recebeu com surpresa, a mim, um branco. Pareceu-me nervoso, como diante de uma provocação, mas ficou mais calmo quando viu que eu era estrangeiro. Sentei-me na cadeira com um gostinho político de triunfo, sentia-me bom, correto e, secretamente, esperava dele uma gratidão. Seus olhos amarelos e tristes me olhavam por cima da máscara. "Que estará pensando? Deve estar contente com minha confiança", imaginava, enquanto ele enfiava o espelhinho por baixo de meu dente. Então, ele me disse que o dente não dava pra obturar, pois estava muito avançada a *cavity* (cárie) e o *filling* (obturação) não resolvia. Não entendi bem, mas concordei, deixando-o trabalhar depois de uma temível injeção de anestesia, conjugada com uma cheirada de gás que me deu até um leve cochilo.

Paguei e, vendo seus olhos amarelos ainda inquietos, fui embora, sentindo o cheiro dos camarões na brisa, saindo daquele bairro negro como fugindo de um prostíbulo, sentindo o alívio da "respeitabilidade" ao chegar ao bairro branco.

O tempo passou, voltei para o Brasil e meu dente começou a ficar preto. Bem na frente, ele foi escurecendo, e percebi que meu canino estava morto. Nessa época, começaram as violências da integração racial na América e eu vi, na TV Tupi, uns brancos gordos, pavorosos, jogando ácido sulfúrico numa piscina de St. Augustine, onde uns negros ousaram entrar.

E lembrei-me do dentista que tinha assassinado meu dente. Lembrei-me dos rostos negros mudos e trêmulos, dos cabelos "pixaim" ainda sem orgulho nem gel, das roupas baças sem coragem, do fundo dos ônibus. Depois, vi outros negros já lutando por seus direitos, em marcha pelas ruas do Sul, vi cenas de bairros negros em chamas, brancos com latas de gasolina, negros ensangüentados e dentes quebrados...

A América foi mudando com a conquista dos direitos civis e fui entendendo melhor meu passado; entendi que as pessoas são frágeis e domináveis, entendi que uma doença histórica não poupa ninguém, entendi que meu dentista negro não era livre. Ele tinha que "errar". Lembrei-me de seus olhos amarelos de medo e compreendi que ele também estava incluído naquela maldita ordem pública de 58 e que matara meu dente obedecendo a seu destino de marginal, seu papel social de fracassado. E, a cada cena de violência nos anos seguintes, meu dente escuro parecia doer, apesar de morto. E até hoje ele está aqui na minha boca, já branquinho e encapado, e nela continuará morto mas em pé, mesmo depois que eu me for... E hoje pensei nesse dente como um sinal de alarme em defesa dos direitos civis que os republicanos de Bush planejam exterminar. Fico chocado e apavorado, pois a América pode voltar ao tempo das "platitudes" e da *silent generation*, como na época de miss Alden e do meu dentista de olhos amarelos.

Hiroshima: a guerra do século XXI

ENQUANTO O HOLOCAUSTO dos judeus na Segunda Guerra fecha o século XX, dando conta de contradições ainda do século XIX, o espetáculo de Hiroshima marca o início da guerra do século XXI, que tem sua rima cruzada, sua resposta invertida na destruição do WTC em 2001.

Auschwitz e Treblinka ainda eram "fornos" da Revolução Industrial, mas Hiroshima inaugura a guerra tecnológica, virtual, asséptica. A extinção em massa dos japoneses no furacão de fogo fez em um minuto o trabalho de meses e meses do nazismo. O que mais impressiona em Hiroshima é a eficiência, sem trens de gado humano, a morte *on delivery, fast, clean*, anglo-saxônica. A bomba americana foi uma "vitória da ciência". Hiroshima e Nagasaki dão início à guerra "limpa", do alto, prefigurando Guerra do Golfo, Afeganistão e Iraque II.

Os nazistas eram loucos, matavam em nome do ideal psicótico e "estético" de "reformar" a humanidade para o milênio ariano. As bombas americanas foram lançadas em nome da "Razão".

Na "luta pela democracia", rasparam da face da terra os "japorongas", seres oblíquos que, como dizia Truman em seu diário: "São animais cruéis, obstinados, traidores." Seres inferiores de olhinho puxado podiam ser fritos como *shiitakes*.

Enquanto os burocratas alemães contavam os dentes de ouro e óculos que sobraram nos campos, a bomba A foi rápida e eficiente como um detergente, um mata-baratas.

Ainda hoje é fascinante ver as racionalizações que a América militar inventou para justificar seu crime nuclear. Truman escreveu: "Eu queria nossos garotos de volta (*our kids*) e ordenei o ataque para acelerar essa volta." Diziam também que Hitler estava perto de conseguir a bomba, o que é mentira. A destruição de Hiroshima foi "desnecessária" militarmente. O Japão estava de joelhos, querendo preservar apenas o imperador Hirohito e a monarquia. Uma das razões reais era que o presidente e os falcões da época queriam também testar o brinquedo novo. Truman fala dele como um garoto: "Uau! É o mais fantástico aparelho de destruição jamais inventado!!... No teste, fez uma torre de aço de 60 metros virar um sorvete quente!..."

Além disso, os americanos tinham de se vingar de Pearl Harbour, de surpresa, exatamente como o ataque japonês três anos antes. Queriam também intimidar a União Soviética, pois começava a Guerra Fria, além, claro, de exibir para o mundo um show "maravilhoso" de potência, som e luz, uma superprodução em cores que enfeitasse a nova era do império. A alegria mundial sufocou o horror. Até moda a bomba gerou – lembro de minha mãe com coques altos chamados de penteado "bomba A". O Holocausto sujou para sempre o nome dos alemães, mas Hiroshima soa quase como uma catástrofe natural, "inevitável".

Na época, a bomba explodiu como um alívio e a opinião pública celebrou tontamente. Nesses dias, longe da Ásia e da Europa, só havia os papéis brancos caindo como pombas da paz na Quinta Avenida, sobre os beijos de amor e vitória... Era o início de uma era de prosperidade na América, dos musicais de Hollywood, pois o Eixo do Mal estava vencido e derretido. Naquele ambiente mundial, não havia conceitos disponíveis para condenar esse crime hediondo. A época estava morta para palavras, na vala comum dos detritos humanistas. Só restavam o desalento, o niilismo, a literatura do absurdo em meio às ruínas. A euforia americana avança até 1949, quando a bomba H soviética acaba com a festa, instilando a paranóia nacional que vai crescer muito em 1958 quando sobe o Sputnik – eu estava lá, nos EUA: parecia um 11 de setembro.

Escrevo isso porque vivemos a era inaugurada por Hiroshima: um tempo em que a morte, ou melhor, o suicídio da humanidade virou uma escolha político-militar. Os computadores do Pentágono oscilam na possibilidade estratégica: valerá ou não a pena continuar atômicos? Sim. Tanto é que estão recauchutando dez mil bombas "velhas", para que rejuvenesçam e durem mais. Podem destruir o mundo quarenta vezes, o que tira dos homens o mistério, o destino desconhecido regido por deuses, e obviamente desestimula qualquer esperança de razão, projeto, cultura.

Com Hiroshima, inaugurou-se a "guerra preventiva" de hoje. Vivemos dois campos de batalha sem chão; de um lado a máquina americana comandada pela lógica de um turbo-capitalismo que raspará qualquer obstáculo a seu desejo. Do outro, temos os homens-bomba multiplicados por mil, graças à América também. Um dia eles chegarão às bombas nucleares, principalmente no Paquistão.

Não há mais objetivos ideológicos ou humanos no comando. No lado ocidental, quem mandam são as Coisas. A fim de proteger a lógica do petróleo, do poder de controle, qualquer arrasamento de terreno será possível. Sem o humano no comando supremo, as bombas desejam explodir. A loucura americana – encarnada pelo embaixador das Coisas, o Bush – está mais exposta. O avião que largou a bomba A em Hiroshima tinha o nome da mãe do piloto na fuselagem – "Enola Gay" –, esse gesto de carinho batizou de fogo 150 mil pessoas. Essa foi a mãe de todas as bombas, parindo um feto do demônio que exterminou 40 mil crianças em 15 segundos.

Estamos assim: de um lado, a Coisa. Do outro, Alá. A pulsão de morte e o desejo de mercado se encontraram finalmente. Quem vai controlar?

A "cornidão" é um sentimento nacional

Sou vítima de escritores-fantasmas que se escondem na internet. Já reclamei disso, mas não adianta, os falsários continuam forjando minhas pobres moedas. A "rede" tem artigo com meu nome falando das mulheres de bundinha dura, tem uma defesa sensual da celulite, tem um famoso artigo meio veado sobre a beleza dos gaúchos, saudado com viril alegria por homenzarrões que me agarram na rua: "Ché, tua escritura estava macanuda, trilegal!" Eu nego aos bigodudos ter escrito aquele ditirambo farroupilha, mas falo num tom vago, para não ser esculachado: "Tu não escreveste? Então tu não amas nossas 'prendas' lindas e negas ter escrito que a gente já nasce montado num bagual? E que por baixo do poncho também bate um coração? Tu *tás* tirando o seu da reta, ché?" – e me aponta o dedo, de bombachas e faca de prata. Apareceu agora um artigo sobre a "mulher brasileira" e logo chega a menina sorrindo: "Finalmente, alguém diz a verdade sobre as mulheres na internet! Mandei isso pra mil amigas, principalmente porque você diz: 'Elas são tão cheirosinhas... elas fazem biquinho e deitam no teu ombro...' e 'quando a mão dele toca tua nuca, tu derretes feito manteiga' ou 'elas têm horror a qualquer carninha saindo da calça de cintura, tão baixa que o cós acaba!...'"

"Eu jamais escreveria 'cós acaba!', minha filha!"."Ah... Não seja modesto! É a melhor coisa que você já fez!" – e sai rebolando, feliz...

Agora surgiu mais um, onde eu ensino aos homens do meu Brasil como evitar chifres, como não serem cornos, ou "cornos"? Todos nós já levamos nossas chifradinhas (saibamos ou não...), mas não sou um especialista nessa desdita. E o texto é de amargar:

"As 'mulheres modernas' têm um pique absurdo em relação ao sexo e, principalmente dos 30 aos 38 anos, elas querem fazer sexo todos os dias, e nem precisa dizer que se não for com você... Nem pense em provocar 'ciuminhos' vãos. Como pude constatar, mulher insegura é uma máquina colocadora de chifres. Quem não dá assistência, abre concorrência e perde a preferência". Assinado, eu.

Que vou fazer? Sei que a cornologia é uma ciência respeitável. Conheço vários tipos famosos de chifrudos, como o "corno Papai Noel" – aquele que não vai embora por causa das crianças –, sei do "corno asmático", que chega em casa avisando a mulher com tosse e assobio, ouvi falar do vacilante "corno cético", que vê a mulher entrar no motel com o grande Ricardo e pensa:

"O que me mata é essa dúvida..." E, claro, o magnífico "corno churrasquinho", aquele que põe a mão no fogo pela mulher...

O corno é um solitário. Ninguém tem pena dele; até os amigos exultam quando surge um novo corno na praça. "Antes ele do que eu", pensam, como nos velórios. O corno é objeto de riso. Quem sofre pelos chifres alheios? Uma boa infidelidade acaba com a onipotência de qualquer um. "Eu sou craque com mulher..." e paff!... lá vem o chifre, e o sujeito cai na sarjeta mais próxima.

O corno sofre sozinho, com pena de si mesmo, e ainda por cima, depois de Freud, dizem que ele é culpado pelos próprios chifres. Ou, pior, que ele não passa de uma boneca enrustida que "desejava" a traição, por oblíquo amor ao Ricardão. E, se ele se recuperar rápido demais, causa desconfiança, por falta de hombridade. O corno compreensivo, progressista, é visto apenas como "manso".

Ao corno não adianta reclamar, pois o mal já foi feito: nada refará a virgindade conjugal perdida. Raramente, os cafajestes são cornos, ao contrário do que se pensa. Em geral, os bonzinhos é que dançam, pelo erro de dar garantias de vida à mulher. Mulher só ama o impalpável, e o cafajeste tem uma aura mitológica. Mulher detesta homem frágil, que pede ajuda. É chifre, na certa (cartas femininas à redação...), o que lhe faz apaixonado pela mulher traidora. A dor da paixão é seu consolo. A mulher não é corna, a mulher até se consagra com a traição do homem – mártir e heroína de um amor perdido.

Hoje em dia, o brasileiro está em pânico com os chifres porque se sente corneado na vida real. Acabamos de levar mais um chifre na Copa, com o Zidane comendo nossos craques, nós que confiávamos tanto neles. Choramos em meios-fios e botequins as lágrimas da ingratidão. Somos cornos na política também, com deputados, senadores e o Lula fazendo conosco o que ricardões executam com nossas mulheres. Com os mensaleiros se candidatando de novo, com os sanguessugas impunes, com o PMDB nos Correios, estamos com uma galhada florescente nas cabeças. Humilhados e ofendidos, e não temos a quem nos queixar.

A propósito, recebi outro dia um e-mail de um corno "histórico ou político", para quem a crise nacional e a crise pessoal se misturam numa única dor:

"Boa-tarde, meu caro Arnaldo. Após ler sua coluna sobre as traições da política, me senti como um namorado traído que esperava uma entrega total por parte de sua namorada, pois há um bom tempo estávamos planejando morar juntos. Para minha surpresa, o que recebi como resposta aos meus anseios foi aquela famosa frase: 'Sente aqui que precisamos conversar...' Um calafrio correu em minha espinha, e o inimaginável aconteceu. Ela decidiu que cada um iria em direção oposta ao outro. A decepção tomou conta de mim, pois aquilo que de bonito havia em minha vida transformou-se em frustração. Eu me senti com a dor causada pelo fracasso gigantesco na Copa. Do alto dos meus 37 anos, vejo que sou apenas mais um refém da situação caótica em que vivemos neste País de Ladrões,

Políticos Corruptos e Governantes Marionetes... Hoje, é difícil bater no peito e dizer que sou Brasileiro. É angustiante e estarrecedor ver que até os jogadores não são mais brasileiros, venderam-se por um punhado de dólares e esqueceram suas origens. Aí, vos pergunto, seu Arnaldo: 'Esse país está fadado ao fracasso, ou posso sonhar com a volta de minha amada?'

Atenciosamente..."

Está aí. Imito minha imitações, mas é tudo verdade. Podem publicar na internet. Eu negarei que tenha escrito.

Freud explica posições políticas

A PSICANÁLISE É uma grande arma para a ciência política. Principalmente no Brasil, à beira das eleições, com todos os ódios e neuroses aflorando. Por trás das ideologias, jaz o trauma, pulsando como uma velha ferida. Há uma doença manchando a bandeira política de cada um. Imaginemos uma sessão de análise de grupo. No centro, um psicanalista de charuto e barba. Em volta, intelectuais pensando o Brasil.

Psicanalista:
- O que fazer diante da realidade brasileira?

O Amante do Povo:
- Doutor... é tão terrível ver a miséria deste país... Eu sofro tanto com isso...

Psi:
- O senhor é miserável?

– Não... ganho até bem...

Psi:
– O senhor luta por eles?
– Não; só choro.

Psi:
– Essa "dor" pelos pobres lhe traz muito lucro. Sente-se "bom", não é? Mas eles não ganham nada com isso. O próximo!...

* * *

O Erudito:
– Eu sei tudo, doutor. Inclusive do seu Freud. Eu li tudo. Não há saída... só me resta ficar aqui na universidade pensando na aporia (beco sem saída) histórica em que estamos, não há um *telos* (luz no fim do túnel) possível... Como filósofos, não podemos sacrificar nossa *gravitas* (seriedade) com uma práxis (prática-teórica) que seja apenas um *Ersatz* (quebra-galho) da verdadeira revolução...

Psi:
– "Acabou o tempo da reflexão; começa a ação" (Marx)... O senhor tem inveja de quem vai à luta... A filosofia para o senhor é apenas um mecanismo de defesa! Saia!

* * *

O Radical Durão:
– Temos de encarar os problemas do país radicalmente, sem

frescuras. Essas complexidades democráticas modernas, ambigüidades políticas, são coisas de veado!

Psi:
– O senhor tem medo da complexidade ou medo de ser veado? O próximo!...

* * *

A Vítima:
– Só eu estou certo! Apanhei muito em 69. Tortura, porrada.

Psi:
– O senhor acha que se santificou no pau-de-arara? Nunca o senhor se sentiu tão puro e nobre como durante a ditadura, não é? Orgulhe-se da luta, não das porradas. Mesmo um grande herói torturado pode errar politicamente.

* * *

O Limpinho:
– Doutor... Eu tenho nojo desses políticos, dessa sordidez... Como artista e pensador, eu me mantenho longe desse lixo todo, desse horror brasileiro... Eu sonho com um Brasil novo, puro...

Psi:
– O senhor lava as mãos a toda hora? Não olha as próprias fezes? Sexo e beijo de boca aberta nem pensar, né? Obsessivo!

* * *

O Infeliz:

– Doutor, eu estou chorando assim porque minha vida é uma frustração... Ser a favor dos pobres nos leva ao fracasso. Eu poderia ter ganhado dinheiro, mulheres, sucesso, mas sou de esquerda.

Psi:

– O senhor fracassou porque é de esquerda ou é de esquerda porque fracassou? Pra fora!...

* * *

O Sonhador:

– Só amo as utopias, doutor... Esse governo vive no administrativismo, na política do possível... Essas reformas podem funcionar na prática; na teoria não funcionam. Só amo o sonho... Sem sonho, não ganhamos nada, e, se ganharmos, perdemos o sonho...

Psi:

– O senhor ainda mora com sua mãe, não?

* * *

O Paranóico:

– O mundo atual é um conto-do-vigário em que caímos. Há uma conspiração política aí fora para nos destruir... Tudo o que parece ser não é. Querem me pegar desprevenido pelas costas.

Psi:
- O senhor é gay?
- Se disser isso de novo, eu te mato!!!... E vocês?!... Estão me olhando por quê? (Foge gritando.)

* * *

O Anal:
- Este país não tem jeito. Só uma grande catástrofe, uma tempestade de merda, consertaria isso aí... Só depois de uma grande cagada política, aí, sim, purificados, teríamos a bonança...

Psi:
- Seu pai lhe batia muito quando você se sujava nas calças?

* * *

O Mártir Imaginário:
- Tiradentes foi esquartejado... Frei Caneca, enforcado... Como é belo o martírio dos que morreram pela salvação do Brasil... Grandes heróis mortos...

Psi:
- O senhor acha a vitória uma "coisa de burguês"... Não é?... Se o senhor fizesse sucesso, seu pai falido o castraria?

* * *

O Nostálgico:

– Ahhh... como era verde o meu vale!... Ai, como era bom antigamente... Vida mais simples, todos se amavam... Aí chegou o neoliberalismo e estragou tudo.

Psi:

– O senhor ama a utopia em marcha a ré? Deve ter sido uma criança mimada, filho único... Aí, nasceram os irmãozinhos, não foi?

* * *

O Imutável:

– Pode mudar o mundo. Eu não mudo um milímetro em minhas idéias... Há valores dos quais não abdico!

Psi:

– O senhor tem medo de mudar de sexo? De virar mulher?... (Arghh! – mais um que foge gritando.)

* * *

O Militante do Ar:

– Avante, povo! Para as barricadas! Revolução ou morte!

Psi:

– O senhor já pegou em armas? Ahh, não? Fica em casa de pijama torcendo pelo "povo" como quem torce pelo Palmeiras? É um caso de quixotismo preguiçoso ou militância imaginária... Rua!

* * *

O "Bode Preto":
– Tudo é uma bosta... Tudo é cronicamente inviável... Beco sem saída... Não há luz no fim do túnel...

Psi:
– O senhor é paulista? Se tudo é uma bosta, sobra apenas o senhor, o único que presta... Isso é narcisismo de paulista engarrafado no caos urbano da cidade... Tome Prozac e vá para a Bahia!...

(Eu estou aí dentro... E você, leitor intelectual e neurótico, "meu semelhante e irmão", onde você se enquadra?)

A humanidade sempre foi uma ilusão

Estou de saco cheio; vou telefonar para o Nelson Rodrigues para ver se ele me dá alguma luz, lá do céu. Disco o telefone preto. O telefone toca. Já ouço as risadinhas dos serafins que ficam contando piadinhas de sacanagem.

– Nelson... sou eu, o Arnaldo...

– Você me ligando, rapaz... como um telefonista de si mesmo... Achei que tinha me esquecido...

– Eu jamais te esqueço... mas estou apavorado com a história humana...

– Pára com isso, rapaz, a história não existe... Não é que a história tenha acabado, como disse aquele japonês do Pentágono; não, a história nunca existiu... Ela foi uma invenção daquele alemão, o tal de Hegel, que, aliás, está ali sentado numa nuvem, chorando lágrimas de esguicho numa cava depressão... O sujeito achava que a "história" se movia em direção a uma "espiritualidade absoluta" e, de repente, descobre que meia dúzia de malucos, cheirando a banha de camelo, com camisolas imundas e com a face lívida da estupidez, estão transformando a vida humana numa piada de português... ha! ha!... A história humana é um pesadelo humorístico. Você achava que a vida era movida pelas "relações de produção" e coisa e tal... Pois está aí... a única coisa que existe é a loucura humana... Aqueles macacos que, na Idade do Gelo, se esconderam numas cavernas sujas pra não morrer de frio tiveram de inventar a tal da "linguagem" para preencher o vazio entre eles e a natureza... O homem não é superior aos outros animais, não. Ele é inferior, ele veio com defeito de fábrica... O Nietzsche, aquele cara esquisitão que também anda por aqui, bigodudo, falando sozinho, me disse isso. O Nietzsche é um craque... Sempre que eu posso, tomo um cafezinho com ele.

– Mas, Nelson, o herói suicida é invencível...

– Engraçado... todo mundo está impressionado com os suicidas... A coisa mais fácil do mundo é o sujeito se matar, rapaz. Na minha infância profunda, toda semana, casais de namorados se jogavam do Pão de Açúcar, os amantes faziam pactos de morte e tomavam guaraná com formicida, as mocinhas ateavam fogo às vestes e se jogavam dos prédios como busca-pés de São João... Era lindo... as mulheres suspirando por um suicídio de amor...

– Mas esses caras acham que o suicídio leva ao céu... Aliás, você viu algum deles por aí?

– Olha... a gente só vai para o céu em que acredita... Os árabes não vêm para cá... Se bem que o paraíso deles até que não é longe... Outro dia, eu resolvi dar uma espiadinha lá... Rapaz, parecia o baile do Bola Preta! Os terroristas eram como artistas de televisão, dando autógrafos, cheios de macacas-de-auditório em volta. O Muhamad Atta, aquele chefe-suicida, estava deitado numa cama de ouro e rubis, com odaliscas do Catumbi rebolando a dança do ventre, ali, feito a Feiticeira... Tudo o que eles jamais tiveram no deserto eles têm aqui em cima.

Agora, rapaz, vou te dizer uma coisa "social": os reis da Arábia Saudita, da Líbia, do Iêmen, todos adoram que o inimigo seja o americano, vivem felicíssimos nos seus palácios com cascatinhas artificiais e filhote de jacaré nadando dentro, enquanto os miseráveis batem cabeça para Alá e não percebem que são os otários de Maomé... Isso é que é o haxixe do povo!

– Nelson, você ficou marxista aí no céu...

– O Marx me chama de "reacionário", mas me ouve muito... Ele anda chateadíssimo com as bobagens que escrevem sobre ele, inclusive amigos da Academia aí no Brasil... Eu disse para ele: "Olha, Marx, a burrice é uma força da natureza, feito o maremoto..." Ele vive repetindo isso, achou uma graça infinita... Bom sujeito, o Marx...

– É... mas a história andou mil anos para trás...

– Rapaz, nunca saímos da barbárie... pensa bem... tivemos duas guerras mundiais num século, sem contar Vietnã e coisa e tal... Se os alemães fizeram aquilo tudo, se os americanos derreteram 150 mil em 30 segundos em Hiroshima, imagine aqueles cretinos do Islã... Reparou que eles parecem um homem só? Todos calmos, com a certeza da verdade lhes iluminando a fisionomia... A loucura é calma, o louco não tem dúvidas... Por isso, eles vão ganhar sempre... A razão é um luxo de franceses...

– Mas e o futuro da humanidade...

– O mundo nunca foi feliz... esse negócio de paz e felicidade é invenção do comércio americano... O que houve agora é que os terroristas jogaram a gente de volta para dentro da tal "história". Além do mais, isso tinha de acontecer... Como o homem ia suportar aquela paz americana, com tudo arrumadinho como um supermercado... A loucura é a revolta do animal domesticado dentro de nós.... Esse papo da humanidade toda dando milho para os pombos é lero-lero... Deus não quer isso. Vai olhar a Bíblia, o Torá; é tudo no "olho por olho"... Lembra da Inquisição? Deus é violento... (tou falando baixo que ele tá ali perto consolando o Hegel).

– Mas o ser humano...

– Rapaz... a humanidade é uma ilusão. "Tudo o que é real é

irracional, tudo o que é irracional é real." Se o mundo acabar, não se perde absolutamente nada...

– E nós?

– Agora sim, seremos o país do futuro. Graças a Deus, eles, os americanos, vão nos esquecer um pouco... Aí, a gente pode ir construindo a nossa grande Bahia intemporal, nosso Rio transcendental, nosso grande carnaval permanente. Finalmente, o subdesenvolvimento servirá para alguma coisa...

– Deus te ouça, Nelson...

No chão de Copacabana

CASCA DE OVO com resto de clara, cigarro recém-atirado ainda soltando fumaça, sete (exatamente sete) palitos de Chicabom, sacola de uma loja não identificável (ele não sabia ler) para poder ser transmitida com precisão (transmitiu apenas "saco de loja de calcinha de mulher") e ainda outros objetos de menor importância, a saber: pente banguela, meia capa de revista, cocô de cachorro, volante de loteria esportiva, barbante sujo e enrolado feito uma minhoca, um sapato de bebê enlameado, um band-aid velho e mais pó, sujeira e terra, tudo na calçada preta e branca ondulante de Copacabana. Anjenor transmitiu para os seus familiares (pelo rádio secreto) tudo o que via no chão, na trilha exata que seguia todo dia:

"Alô, alô, barraco verde-e-rosa, papai está chegando, câmbio!" Anjenor transmitiu por seu rádio-espacial-mental, instalado atrás de sua língua (ele que nunca mais falara com ninguém desde aquele dia fatal), ali da rua cheia de Copacabana.

O caminho era sempre o mesmo. Anjenor sabia; e todo dia ele seguia as mesmas regras minuciosas, as instruções recebidas do alto para que tudo acabasse bem e ele pudesse descansar em paz.

Seguia os detalhes da calçada, cada minúcia do chão, enquanto ia em direção à vitrina das TVs. Na calçada, ele via a torrente de pés e sapatos, e tudo ia transmitindo, em seu caminho perfeito: rodas dentadas de carrinho de bebê, tamancos medonhos, jacarés de solas pregueadas, saltos de perfurantes agulhas, toque-toque de muleta de aleijado, ponte imóvel de perna de mendigo exposta ao público com chaga e gaze suja que ele pulou, sandálias japonesas dissimuladas, joanetes disformes de pés nus, roda de velocípede e macaco mecânico num carrinho batendo tambor de lata e que ao passar lhe lançou claro olhar de gozação. Outros olhares luziam sobre ele (ele conhecia), como se fosse um louco falando sozinho, pois ninguém sabia de seu rádio-espacial-mental instalado atrás de seu último molar, mantendo contato direto com sua família no barraco verde-e-rosa. "Aproxima-se a hora, pessoal, vitrina à vista! Câmbio!", transmitiu ele da calçada de Copacabana.

Anjenor sabia que teria de passar ainda em frente à eterna loja das TVs, muitas televisões brilhando como uma parede de luz, mudando todas as imagens ao mesmo tempo, num xadrez colorido. Sabia que cada vez que passasse em frente à loja, quando ele pusesse o pé no limite exato na aresta esquerda da vitrina, neste momento preciso as televisões apagariam suas cores e uma nova imagem se acenderia em todas as telas. E ele nem olharia, pois já conhecia a imagem desde a primeira vez que a viu (há mais de dois anos), quando passava ali e vira a notícia que o homem do noticiário dava, mostrando o topo do morro onde ele morava e os barracos pegando fogo e todo mundo correndo e os bombeiros tirando as macas brancas de um barraco que ainda pegava fogo e ele vendo os rostos das crianças e da mulher na maca e ele não sabia por que neste momento ele voou vitrina adentro, afundou-se na tela de TV e surgiu no alto do morro, gritando, gritando e vendo os bombeiros descerem com as macas e com sua mulher e filhos, morro abaixo.

E desde esse momento ele entendeu (conforme instruções do Alto recebidas por seu rádio-espacial-mental) que teria de percorrer todo santo dia o mesmo caminho em frente à vitrina, para que tudo pudesse ser mantido sob controle e os seus entes queridos passassem bem.

Então, Anjenor pôs o pé na fímbria da onda negra desenhada na calçada junto à vitrina. Com seu retângulo pendurado nas costas, onde se lia "Compra-se Ouro" (o patrão, lógico, não ele), ele mais parecia uma tartaruga que um homem-sanduíche, e olhou em volta a rua de Copacabana, que, como de hábito, estava animada como um carnaval de arlequins. A rua toda dançava como uma gelatina e ficaria assim até ele cumprir o ritual diário obrigatório: o ônibus chacoalhava e batia a queixada do pára-choque, ameaçando-o com os olhos rodando dentro dos faróis; na marquise da academia de ginástica, o anúncio do homem musculoso mostrava o braço violento para ele, o neon da lanchonete já acendia o raio vermelho que ia fulminá-lo, sem contar os olhares dos passantes, que riam, riam, riam dele.

Mas tudo isso ia terminar em breve (ele sabia).

Então, chegou a hora decisiva. Ele deslizou o pé com minúcia, seguindo a linha da onda negra desenhada no chão de pedras portuguesas. Equilibrou-se por sobre o traçado oscilante da calçada como se fosse um artista de circo num arame alto. Limpou cuidadosamente com o pé cada detrito no caminho (era necessário que o chão ficasse impecável); chutou cada ponta de cigarro, cada chiclete, cada pedrinha.

Anjenor nem olhava para a vitrina ao lado, pois sabia muito bem que o fogo se repetia sem parar nas telas das TVs com o barraco, os bombeiros, as macas; nem olhava para a rua, pois sabia do ônibus rindo dele, o halterofilista de neon ameaçando-o com o braço e o raio de morte da lanchonete fulgindo como um punhal de neon.

Confiante, Anjenor transmitia para os seus, pela rádio-mental: "Calma, pessoal, dentro em pouco vocês vão estar salvos! Câmbio!..."

Anjenor conhecia cada milímetro de chão e sabia que, como fazia há meses, tinha de refazer exatamente tudo o que fizera no dia em que, passando, vira a terrível notícia na TV da vitrina. Só assim os seus podiam ser sempre salvos.

Já limpara o chão até a metade do caminho e estava chegando a hora de pensar aquele pensamento que ele estava tendo no dia em que vira o barraco pegando fogo; e aí, no segundo exato, pensou o pensamento. Agora, só faltava saltar a rachadura da calçada, evitar a pedrinha lascada, limpar com o pé ágil a última guimba de cigarro, pular com os pés juntos para a onda branca de pedras portuguesas e, então.. olhar para a vitrina!

E, como sempre, tudo se refez!

As imagens do barraco em fogo começaram a arder para trás, as macas andaram para trás (ele sabia e olhava ofegante e triunfante), e as imagens voltaram em marcha a ré, e o barraco luminoso e colorido se refez como trucagem de cinema, e as chamas se apagaram, e as macas sumiram e as crianças e a mulher reapareceram na porta e na janela e o barraco verde-e-rosa, cheio de luzes feito nave espacial, subiu no céu do morro, com os filhos e a mulher dentro! Salvos.

E o ônibus parou de rir, o neon se apagou, o halterofilista se amansou e a rua inteira ficou calma, e ele ficou calmo, e pôde sentar no seu canto de calçada, feliz com a salvação da família, e pôde transmitir contente para a nave-espacial-barraco, que flutuava nos céus das TVs, linda como um comercial: "OK! Papai já chegou!... Está tudo OK... durmam bem e até amanhã... câmbio!"

Sentado no chão da avenida Copacabana, Anjenor já podia descansar em paz.

Uma primavera de ladrões

Por que há tanto ladrão no Brasil? Ah... Miséria, falta de emprego. Mas não é só isso. Não falo dos ladrões de galinha, falo da primavera de ladrões que espoucam como flores no país todo, falo dos chafarizes de corruptos que jorram de dentro da coisa pública, falo das miríades de FDPs que dirigem partidos, autarquias, bancos de sangue e necrotérios, sempre roubando. Calcula-se em R$75 bilhões por ano o total da "mão grande" no dinheiro público.

Cada gatuno tem uma desculpa. A maioria rouba por prazer e vingança. É comum o larápio que rouba para se vingar de uma humilhação de pobreza, às vezes traumas sexuais infantis. "Me pegaram no porão e me comeram, por isso hoje eu roubo a Previdência..." São os ladrões com justa causa. Há ladrão de todo tipo.

Há o ladrão esportivo, que rouba pela adrenalina. Apalpar os dólares pela concessão de um canal de esgoto ou um golpe no

INSS são volúpias inesquecíveis. É melhor que *bungee-jump*.

Há o ladrão com anel de doutor, conhecedor dos meandros, frestas e "breubas" dos códigos. Sabe das instâncias infindáveis, sabe dos recursos, agravos, embargos, chicanas. A PF prende e a lei solta.

Há também os facínoras orgulhosos que se gabam do butim como de uma ação heróica; gargalham em vídeos: "Roubo, sim; e quem não rouba?" São herdeiros da tradição ibérica, insurgentes contra a Coroa colonial que se orgulham de lesar.

Temos os gatunos sexuais, que roubam por tesão. Conheci um sujeito do Esquadrão da Morte que se masturbava nas execuções em matagal. "Roubar dá um tesão, amigo...", disse-me o ladrão aposentado, deitado numa bóia roxa, flutuando na piscina em forma de vagina, com um coquetel amarelo na mão.

Há os ladrões com perspectiva histórica pessimista. Suspiram: "Não há o que fazer... O mundo sempre foi assim." E tacam a mão no dinheiro público...

Temos ladravazes filosóficos que lamentam: "O ser humano é nocivo por natureza." E metem a munheca no saco de grana.

Há Ali Babás com sentimento crítico: "Infelizmente, sempre tem alguém para roubar o país... Logo, arrebato antes o tutu que está dando sopa!..."

Conheço estelionatários patrióticos, defensores de uma moralidade ao avesso: "Você acha que vou pagar imposto para sustentar marajás vagabundos? Eu não. Embolso a granolina e ainda processo a União."

Há os ladrões em rede, impossíveis de se achar. Estão dentro da coisa pública, entre os escaninhos dos burocratas. Saem com a cara coberta nos flagrantes da PF e depois são liberados pelos pelotões de "adevogados" que infestam os foros.

Há os ladrões populistas, políticos que "amam o povo" e que conseguem ficar sempre limpinhos. São os ladrões "teflon" – nada gruda neles.

Existem muitos ladrões nacionalistas que dizem, de peito enfunado e testa alta: "Eu roubo porque não vou deixar aí essa grana para pagar o FMI!"

Com a esquerda no poder, surgiram os ladrões ideológicos: "Não é roubo, não...", afirmam. "Trata-se de 'desapropriação' dos burgueses que exploram o povo. Por isso, pego propina das empresas de ônibus, sim, para fazer caixinha para meu partido, pois, como dizia Lenin, os fins justificam os meios."

Há os ladrões-espada, competentes, estudiosos, olhados com unção nas churrascarias. "Aquele lá é gatuno, cara", diz o executivo. "É... mas é craque, dá nó em pingo d'água", retruca o outro com admiração.

Temos também os chantagistas que estudam a natureza humana. Conheci um que adorava ver os olhos covardes do empresário pagando-lhe a propina para um perdão de dívida. Disse-me: "Adoro ver a raiva travada dos empresários que achaco, adoro ver o sapo engolido, adoro ver-lhes as mãos trêmulas."

Há também gatunos masoquistas: "Adoro ver o desprezo que os empresários têm por mim quando me compram. Gosto de me vender e ser humilhado pelos honestos, mas com a graninha me esquentando o bolso." E existem ladrões sádicos: "É delicioso observar a cara dos 'dignos juízes' quando exaram uma liminar comprada, vendo a piscadela cúmplice que lhes dou na hora da sentença..."

Conheço também ladrões gelados, psicopatas, que sentem orgulho ao suportar o sentimento de culpa ques lhes bate na consciência quando, digamos, roubam verbas de criancinhas com câncer, indo depois para casa, onde os filhinhos felizes vêem desenho animado na TV.

E há ladrões, pandilhas, biltres, patifes, chantagistas intelectuais que discursam com profundidade: "Este país foi feito assim, na vala entre o público e o privado. Há uma grandeza na apropriação indébita, florescem ricas plantas na lama das roubalheiras. A bosta não produz flores magníficas? Pois é... o Brasil foi construído com esse fertilizante. O progresso do país se deve à roubalheira secular. Sempre foi assim e sempre será. Roubo também é cultura..."

A miséria está fora de moda

A MISÉRIA ARMADA está nos fazendo esquecer da miséria indefesa. Com a onda de violência, perdemos a compaixão pelos pobres. E, criamos um vago rancor contra ela, um certo tédio, porque ela não some, teima em reaparecer. Houve uma época em que a miséria nos tocava mais, ela era útil para nossa piedade, e como tema para arte e literatura. A miséria sempre deu lucro. No Brasil, miséria é quase uma indústria. Quanto lucro uma igreja de charlatões tem com os dízimos? A miséria dá lucro político; falar na miséria traz votos populistas.

Antes, havia uma miséria "boa", controlável. Tínhamos pena, desde que ela ficasse no seu lugar, ela aplacava nossa consciência. Nos sonhos "revolucionários", a miséria era nossa bandeira. Sofríamos com ela. A miséria dos outros era nosso problema existencial. Achávamos que nosso escândalo ajudava os pobres de alguma forma. Hoje, esvaiu-se a idéia de revolução. Isso gerou um desalento que aos poucos dá lugar a um cinismo quase feliz. O fim das ilusões gera quase um alívio. Antes, podíamos nos indignar; as esmolas faziam mais bem a nós do que a eles. A miséria tinha uma "função social". Hoje está fora de moda, a miséria está "enchendo o saco, não chove nem molha". A gente esqueceu os morros da população trabalhadora, com operários, domésticas, faxineiros; ela só aparece violenta, nos tiros de bandidos. No Rio, sofro mais com a visão da miséria. Em São Paulo, é menos visível: suas favelas são longe do Centro ou se escondem sob montes de lixo debaixo de viadutos. No Rio, temos de criar uma pele de rinoceronte para não sentir pena. Existe coisa mais triste do que menininhos de 6 anos fazendo malabarismo com bolinhas de tênis na chuva? Os miseráveis nos desgostam porque são a prova de nosso fracasso.

Sempre que os vejo, imagino como nos vêem. Assim como vemos a miséria, a miséria também nos vê. Nossa visão de mundo, a economia, a política, tudo é visto a partir de um olho de classe média. Mas... como nos vê o menino que nasceu junto aos canos de escapamento, cheirando fumaça para nos pedir esmola?

Vêem-nos pelos fundos, nos vêem de baixo, nos vêem através de uma névoa de medo e fascinação, nos vêem habitando um mundo que não é deles. Diante de uma vitrine eles vêem tudo que não terão. Todas as ofertas os ignoram, nada daquilo pode ser deles. Na TV, o miserável não se vê na tela, como nós nos vemos na novela. Ele só aparece como exceção, como absurdo, em matérias "sociais". Diante da propaganda, ele tem a pavorosa sensação de não existir.

Os miseráveis são nossa caricatura e damos esmola na esperança de uma salvação, mas os miseráveis não são generosos e não nos perdoam. Apenas um vago "Deus lhe pague"... Os miseráveis nos obrigam a uma contemplação interior que não desejamos. Os miseráveis nos devolvem suja qualquer esperança que temos de beleza. O miserável não é nem mesmo oprimido como os escravos; na escravidão, eles faziam parte da produção, o chicote e o pelourinho lhes davam uma espécie de "lugar social". Hoje, são apenas ignorados.

De vez em quando, eles aparecem, em catástrofes – trens que descarrilham, barcos que afundam; vemo-los como desastres naturais, como detritos de terremotos ou massacrados nos morros do Rio. Hoje a miséria se recusa a sumir, ela desmoraliza a globalização, a democracia.

A miséria era o grande capital do governo Lula. O PT sempre teve ciúmes da miséria. Sempre que o FHC ou os tucanos quiseram cuidar da miséria, o PT reagiu como um marido enganado. Mesmo o MST é um amante tolerado. Mas a miséria tem sido ingrata com o PT. Ela se recusa a comer do Fome Zero, ela desmoraliza a eficiência do Bolsa Família. A miséria não é dócil. A miséria se multiplica como amebas, ela não pára de crescer.

O erro dos que desejam acabar com a miséria é achar que ela está do "lado de fora" de nossa vida, do "lado de fora" dos aparelhos do Estado, de nossa vida social. A miséria não é um objeto, um fenômeno a ser resolvido lá fora, nos morros, na periferia... A miséria é a ponta suja de nossa miséria maior. Nós fazemos parte dela, a miséria está até na maneira como a vemos. Não existe um mundo limpo e outro sujo. Um infecta o outro. A burocracia é miséria, corrupção é miséria, a estupidez brasileira é miséria. A miséria mental já invadiu a Câmara dos Deputados. A miséria moral rouba bilhões dos miseráveis. A miséria não está nas periferias e favelas; está no centro de nossa vida brasileira. Somos uns miseráveis cercados de miseráveis por todos os lados.

O lobo com suas grandes asas

ELE ESTAVA DIANTE da nova secretária quando, de repente, aconteceu. Ela o olhou de um jeito novo. Pela primeira vez na vida, uma mulher o fitava com um brilho seco no olhar que dizia: "Nem pensar!" Era um daqueles instantes em que um homem percebe que a vida dera uma guinada. E ele começou a sofrer. Aquela mulher não o desejara. Seus olhos eram um espelho apagado.

Não era um velho ainda, aos 50 anos, mas já estava na chamada "idade do lobo".

Já ganhara dinheiro e poder. Agora, queria conquistar tardiamente a magia do amor.

Já sentia por vezes a presença da morte, no espelho do mictório, no rosto do maître do bar, na cicatriz da plástica de sua mulher. E, da mesma maneira que empilhara sua fortuna, partiu para recuperar o tesouro da juventude.

A primeira foi uma moça com olhos de chumbo, que ele conquistou uma noite num *nightclub* sórdido. Outras vieram, todas jovens. Mas ele notou aos poucos que elas eram ostensivamente animadas com ele, sorrindo num esforço extra de euforia, para esconder o tédio e o desinteresse. Mas, ele queria a alegria real, queria que o desejassem com a fome das mulheres apaixonadas. Ele queria o mesmo sentimento que tivera em uma tarde, trinta anos atrás, na praia de Copacabana, uma tarde molhada de chuva num fim de carnaval, agarrado numa colombina apaixonada, sob o temporal que caía e no meio da imundície dos blocos, entre gritos, chopes, vagabundos e putas. Era sua lembrança mais feliz.

Era uma meta que ele traçava como um *target*, planejadamente, como um bom executivo. Tentou os movimentos rápidos da juventude, as roupas leves, a dieta, sob os olhos compadecidos da esposa, que ele beijava com uma intensidade fria, compensando com esforçada ternura o vazio de seu amor por ela, que se deixava beijar, como se ele partisse para uma longa viagem.

Ele lutava pela volta da alegria, como um missionário, mesmo sabendo-se ridículo.

Durou pouco tempo seu bailado de falso garotão, contemplado pelos olhos vazios das parceiras, enquanto suas bocas sorriam.

Resolveu-se então pela "bondade", pela generosidade dos velhos.

Isso lhe deu um prazer novo, pois sentia-se mais sincero, mais "fiel a si mesmo", como lera no livro *Como Envelhecer sem Dor*. Cobria as meninas de jóias e dinheiro e ganhava o consolo de lamber suas coxas duras, esfregar o rosto entre as nádegas, tendo orgasmos abraçado em corpos jovens que lhe pareciam tábuas de salvação.

Conseguiu emoções felizes, mas nada como aquela tarde de tempestade em Copacabana no bar sujo no carnaval. Nos olhos das amantes, ele enxergava gratidão, mas também momentos de impaciência, indícios de falso respeito e até mesmo faíscas de desprezo por ele.

Isto não durou muito, porque, se a bondade lhe dava paz, esta era suplantada por uma tristeza de velho. Foi então que se decidiu pela dor.

A súbita impaciência de uma amante que quebrou um jarro na televisão, com grande explosão de ódio, estando ela só de calcinha e bêbada, chorando a ausência de um cafetão cafajeste que lhe tinha aberto uma cicatriz no queixo, lhe deu essa idéia.

A soma de ciúme pelo outro, da beleza da violência, da explosão de ódio numa menina nua, as três coisas lhe pareceram brilhar como uma breve tempestade (como a de Copacabana). E por alguns segundos aquela garçonnière conjugada com quitinete teve um flash que avivou as cores do sofá laranja, as paredes ocre e o cartaz de Van Gogh com girassóis.

Mesmo sabendo-se errado, mergulhou num amor unilateral por esta mulher (japonesa — olhos de ódio), jurando-lhe ardentes sentimentos, beijando-lhe as mãos, os pés. A princípio, a mulher recebeu seu amor com certo enlevo, intrigada com tal explosão, mas aos poucos esse fascínio deu lugar a um enjôo (aí, sim, começava a magia para ele), e o enjôo da moça se transformou em pequenas maldades, desatenções, crueldades que ele gostava de estimular com beijos excessivos, na volúpia de errar todas as regras do amor.

Beijava-lhe os sapatos, olhava-a de baixo, via pernas longas, coxas infinitas subindo a um céu de cabelos, calcinha, salto agulha, batom, e conseguiu alguns momentos de real eternidade, quando o tempo parava no meio da dor, quando o sexo virava um veneno secreto. Foi escorraçado, passou noites no frio, olhando o quarto aceso onde sua amante o traía com garotões, ouvia os gritos pela janela do primeiro andar e, bêbado, chorava com um desespero bem-vindo, alcançando, por instantes, a dolorosa sensação da existência plena.

Em desesperada busca do "descontrole", chegou mesmo perto da morte quando, sob o olhar da amante seminua, foi surrado num corredor do prédio por um jovem cafetão que lhe empurrou escada abaixo, que lhe fechou um olho com socos e lhe tirou sangue da boca, que a mulher em casa (para quem ele disse que fora assaltado) curou pensativamente na madrugada do lar. Orgulhoso de seus ferimentos, algo perto do alívio o tomou, mas não era ainda a alegria. Na hora do espancamento no corredor escuro do edifício, sob os olhos cruéis de uma puta, ele se sentiu inteiramente à mercê da morte, enquanto caía na escada, empurrado de costas. Ali, por um segundo, sentiu-se no ar, no vôo de um instante, e entendeu que tinha de programar seu descontrole, sempre se jogando num vôo sem rede, entrando em situações que o levassem a um êxtase de "não saber", onde encontrasse uma eternidade igual àqueles momentos da juventude que vieram sem aviso.

Foi então que conheceu Aída. Era amiga de sua filha, tinha 17 ou 18 anos, andara fora da cidade internada num sanatório, tinha ficado louca (diziam), mas agora estava melhor, depois de muito tratamento. Era uma mulher morena de cabelos de índia furiosamente negros, dois olhos amarelos, meio vesga, braços e pernas um pouco masculinos, ancas largas, dando a impressão de fortaleza, dentro da qual (diziam) morava o espírito frágil da insânia.

Ele não fez nada nem soube como ela, depois de lhe cravar os olhos tortos, deu um jeito de estar sozinha com ele num quarto vazio, onde ela começou a lamber seu corpo como se fosse um bicho treinado para isso, e ele nunca soube como começou aquela loucura, aquela jovem ajoelhada a seus pés, aquela menina ajoelhada, chupando-o com os olhos tortos, como diante de um santo, e suas pernas tremiam diante daquela paixão súbita de um animal com sede, ela, Aída, que lhe trancava as pernas entre os braços musculosos e gemia palavras obscuras e que lhe mordia o corpo e se lambia a si mesma, esfregando esperma nos seios, num banho faminto.

Ela o contemplava de uma região mais escura, mais misteriosa que a sua. Não havia escolha, ele estava preso a esse mistério e a esse destino de loucura, e foi assim que se viu agarrado nesse corpo de índia, de cabocla louca, por praias, por quartos escuros de hotel, em carros, sumindo no mundo com ela, sob o pânico das famílias, sem saber o que lhes aconteceria, ele de cabelos brancos, ela de cabelos negros nas praias, florestas, em longas fodas de gemidos e grunhidos.

Agora, sentia chuva no corpo como a tempestade que buscava em Copacabana há tantos anos, e finalmente via o rosto de Aída contra o crepúsculo roxo, e o tempo girando como um remoinho atrás deles.

Havia uma alegria infinita ali, sempre velada pela morte. A morte não estava mais longe, naquela alegria selvagem. E tanto a alegria quanto a morte ficaram intactas na tarde em que ele foi ao topo de uma montanha com Aída olhando-o, quando ele vestiu a grande asa-delta que alugou de um negro, em que resolveu voar. Ele parecia um anjo de cabeça branca, sorrindo para ela, na beira da montanha.

E a alegria e a morte ficaram juntas, sincronizadas, quando ele pulou e voou sobre o Rio de Janeiro, olhando o céu e o mar lá embaixo, feliz, pensando em Aída.

E, quando seu coração parou no ar e a morte chegou para ele, a asa-delta continuou flutuando lentamente com seu corpo em direção ao chão e, assim, ele não teve tempo de ver a chegada dos pais e dos enfermeiros de Aída, que a agarraram lá embaixo, Aída, que ficou olhando para o céu desesperada no carro, prisioneira da família, gritando e gemendo, e que a cada curva na estrada virava a cabeça para trás e para o alto, com os olhos tortos fixos no céu, vendo a asa-delta que descia em giros doces, lentos, levando-o ao chão com a adolescência reencontrada, sob a antiga tempestade que começava a cair.

Tenho saudades do futuro

Estou com saudades de tudo. "Saudades" ou "saudade"? Não sei, devo ligar para o Pasquale Cipro Neto, que outro dia me ajudou, pois eu escrevera "tu fostes" achando que era segunda do singular, mas a forma é para "vós". Tenho saudade(s) de meu velho professor de português, magrinho, feito de fios de arame, irritadiço e doce, professor Luis Vianna Filho, que me bradava: "O senhor não tem acento circunflexo!", apontando meu nome, que meu avô árabe registrara "Jabôr". E continuava: "Jabor é o certo. A única palavra dissílaba da língua terminada em 'or' que tem circunflexo é 'redôr', para diferenciar de 'redor, em volta de', pois redôr é o pobre-diabo que fica puxando o sal nas salinas, com um rodo."

Lembrei-me do passado, dos miseráveis redôres, na Cabo Frio de minha juventude, quando José Dirceu foi cassado nos 257 votos contados. De dia, uma nostalgia tomou-me porque olhei uma velha fotografia de jornal, em preto e branco, da passeata dos Cem Mil em 1968 na Cinelândia. No meio da multidão da foto, vi um pequeno rosto granulado – eu mesmo, ali, com 25 anos, sentado no chão, ouvindo os discursos de Vladimir Palmeira e (talvez) de Dirceu?

De noite, quando ele foi cassado, tive um alívio pelo fim daquele escândalo do país e também uma tristeza – Dirceu era o passado em minha vida. E tive uma bruta saudade da utopia. Nunca achei o Dirceu ladrão, apesar de ele não acreditar. Defendi-o até no caso no Waldomiro Dinis, achando que ele tinha sido apenas tolerante com um sem-vergonha "útil". Depois é que percebi a extensão de seu plano "revolucionário". E ataquei-o, porque ele, do passado em preto e branco, queria invadir o presente, com uma subversão regressista que nos jogaria de volta a um tempo morto. Mais do que pelos milhões desviados, ataquei-o por um pecado maior: a ameaça à democracia e à República dos últimos 15 anos. Ataquei Dirceu por seu "aventureirismo", "voluntarismo" e "desvio de esquerda" (para usar a linguagem do PT). Muita gente boa ainda acha que "sempre foi assim", que Dirceu mereceu a cassação por "corrupção". Mas, antes, nunca houve uma tentativa de se "tomar o Estado" usando o dinheiro público pelo "bem do povo". Dirceu caiu por mais uma falha de nossa esquerda de trapalhões, como em 63 ou em 68, no Congresso de Ibiúna.

Mas, mesmo assim, fiquei com saudades de mim, por causa do Dirceu. Tenho saudades de mim com o rosto cheio de esperança na passeata, achando que mudava a história e que o mundo era fácil de mexer, tenho saudade da mistura de poesia com revolução que era nossa vida, tenho saudade até do que Dirceu achava que era – bonito, cabelo longo, hippie guerreiro. Tenho saudade desse narcisismo onipotente e inocente.

Como eu gostaria de explicar aos jovens de hoje o que era a infalível "certeza" daquela época remota, o que era a delícia de viver no "bom caminho", na "linha justa", salvando o futuro. Hoje, ninguém sabe o que era o sentimento de harmonia, de totalidade, em um mundo fragmentado e frio. Hoje, os meninos vivem em galáxias de informações, quando não há mais lugar para "A Verdade". Por isso, tenho saudade do tempo em que a fé na esquerda e no amor era absoluta e sinto falta de minha namorada comunista, nós dois no sofá-cama do "aparelho" clandestino do PCB em Copacabana, o sofá-cama rasgado, com a mola aparecendo, onde nos amávamos antes da reunião da "base" com medo que chegasse o supervisor, um "camarada" com um doce nariz de couve-flor rosado e com tristíssimos sapatos pretos com meias brancas, que nos falava, do imperialismo norte-americano. Tenho saudades dela, linda, corajosa, no apartamentinho com o pôster dos girassóis do Van Gogh e uns livros da Academia Soviética, numa prateleira sobre dois tijolos.

Os jovens que nascem no grande deserto virtual não sabem que vivíamos num rio que corria para o futuro, em direção a uma felicidade completa, com lógica, com Sentido. Tenho saudade desse futuro, isso, do futuro que eu e Dirceu tínhamos e que hoje se espraia como uma grande enchente suja, sem foz, um deserto sem ponto final. Hoje sabemos que não há mais futuro nem chegada – só caminho.

Para nós, comunas, até a morte era pequena, como nos ensinava o camarada de nariz rosado: "O marxismo supera a morte, pois, uma vez dissolvido no social, o indivíduo perde a ilusão de existir como pessoa. Ele só existe como espécie. E não morre!" E eu, marxista feliz, sonhava com a vida eterna...

Meu Deus, como me senti útil quando ajudei um pouco a luta armada, quando levei no meu fusca um casal de feridos sangrando no banco de trás até um "aparelho". Tenho saudades dessa trágica solidariedade, mas tremi nesse dia pois comecei a entender que não havia apenas um deserto à nossa frente, mas uma avalanche de obstáculos. Entendi que éramos fracos demais para moldar a realidade e que a vontade não bastava, pois as coisas comandavam os homens e a vida tem um curso misterioso. Entendi que ser político e lutar pelo futuro exige vagar e respeito pela insânia do mundo, que a tragédia é parte essencial da vida e que tentar saná-la pode levar a massacres piores. Entendi que luta política se faz com humildade e que só a democracia é revolucionária no Brasil. Fora disso, é o desastre. Dirceu e outros não queriam isso. Dirceu tinha um pacto com o passado e por isso foi cassado do futuro.

"Chacina faz parte do mercado, doutor"

"NONADA, SENHOR; não há mais a crueldade. As novas mortes estão além do bem e do mal. Há crueldade num abatedouro de frangos, como a imaginária 'Frangonorte' do ministro Jucá? Não. Os frangos são decapitados por diligentes carrascos de branco, limpinhos, como num Auschwitz higiênico. Nem nos matadouros há crueldade, apenas operários mal pagos entre mugidos tristes.

O mesmo nas chacinas. Ninguém sente nada. E nós, em Nova Iguaçu, nem nos preocupamos em tapar as pistas. Sabe por quê? Porque estávamos cumprindo uma tarefa, cuidando de nossos interesses.

Estamos defendendo a nossa graninha. O senhor pensa o quê? Que aquele soldo micha que a gente ganha correndo atrás de ladrão dá pra viver? A Zona Sul não entende, continua falando em violência, direitos humanos... Nossa única saída é a segurança privada... Cada vez que matamos um vagabundo, podemos ganhar até elogio no quartel. E, se a gente tem a arma, balas, se o comando não liga muito, que que eu tenho? Tenho poder de barganha. Por isso, eu boto o meu poder de fogo no mercado. A gente aluga os serviços para os comerciantes, os donos de boteco, os bicheiros, os donos de *rendez-vous*. Quanto me dão para protegê-los? Quanto me dão para não morrerem? E tem a concorrência, tem várias 'polícias mineiras' lutando por sua fatia de emprego. E mais, se a região fica em paz, a gente tem de inventar uns crimes para aquecer o mercado da proteção. Nossos produtos são os corpos mortos.

Tudo organizado, a gente trabalhando numa boa, no quartel e nas empresas e no varejo, e aí, de repente, chegam uns comandantes metidos a 'caxias' e querem mudar as regras do jogo no peito, atrapalhando o comércio. Como? Querem desfazer uma rede que levou tempo para se aperfeiçoar, com amigos no governo do estado, tudo? Eles nem ligaram para as duas cabeças decepadas que jogamos de aviso por cima do muro do quartel: uma para o comandante e outra para o sub. É mole? Dá trabalho pegar dois vagabundos e cortar a cabeça; esguicha muito sangue, tanto que a gente cobre o quengo do elemento com uma toalha na hora da degola. Eu já tinha visto a decapitação de um refém no Iraque, na internet... eta gente competente! O árabe foi serrando com a faca, assim, pescocinho duro, e o americano só deu uma estrebuchada na hora do corte, só deu um mugidinho. Estamos aprendendo com os craques do Oriente... Nós avisamos, e quem avisa amigo é, doutor...

Mas há uma diferença entre nossos 'presuntos' e os 'presuntos' do Oriente. Lá, eles ou matam e são mortos por religião ou se explodem felizes por uma causa política. Nós, não. A gente não pensa em ir para o céu feito os homens-bomba. Nosso prazer é matar neles a nossa vida escrota, ordinária, matar neles, em nossos 'colegas' de favela, nosso destino de soldados rasos na vida miserável. O senhor entendeu?

Mas também há o prazer, sim, devo lhe dizer... Matar ainda é a maior diversão... O senhor já matou alguém, não? Não sabe o que está perdendo... O prazer de sair com uma AR-15, ali, no tiro ao alvo, os otários levando susto, é de matar de rir; a cara do babaca voltando do trabalho e a gente acertando ele na porta de casa, esposinha berrando, criancinhas chorando... dá uma adrenalina legal, parece que fica tudo bonito em volta. Num botequim que tinha uns babacas dentro, quando a gente tacou fogo, o néon ficou mais forte, tudo ficou luminoso! Parecia um milagre! Aliás, a morte matada parece mesmo um milagre. O cara que estava andando ali, falando, chorando, de repente fica quietinho, fica obedientezinho, não se mexe mais. É superlegal... Eu me sinto leve. E tem mais: a gente não quer matar na moita... Os 'presuntos' têm de ser vistos, ali, caídos; afinal fomos nós que criamos tudo aquilo... Legal é o prazer de abrir uma cerveja, acender um baseado e ficar vendo na TV a nossa 'obra'. É um baratão. Parece uma exposição de pintura – aqueles corpos ali caídos na estrada, as autoridades falando em 'providências', os ministros, o Lula... é o maior barato... Dá vontade de sair na rua e gritar: Fui eu!!!

Mas o que me dá tranqüilidade, senhor, é que nós sabemos que no Brasil é impossível resolver o 'problema da violência'.

Não há mais crueldade; apenas defesa de mercado. O prazer do mal é apenas um subproduto de nossa profissão. O importante é que tudo continue como sempre foi: um labirinto de erros e incompetências que mantenha um mercado funcionando, para que nós possamos sustentar nossas famílias dignamente."

Dias melhores nunca virão

Ando em crise, numa boa, nada grave. Mas ando em crise com o tempo. Que estranho "presente" é este que vivemos, correndo sempre por nada?

As utopias do século XX diziam que teríamos mais ócio, mais paz com a tecnologia. Acontece que a tecnologia não está aí para distribuir sossego, mas para incrementar competição e produtividade, não só das empresas, mas a produtividade dos humanos, dos corpos. Tudo sugere urgência; nossa vida está sempre aquém de alguma tarefa. A tecnologia nos enfiou uma lógica de fábricas, fábricas vivas.

Temos de "funcionar", não de viver. Por que tudo tão rápido? Para chegar aonde? A esse mundo ridículo que nos oferecem, na ilusão de que vivemos para gozar sem parar? Mas gozar como? Nossa vida é uma ejaculação precoce. Antes, tínhamos passado e futuro; agora tudo é um "enorme presente". E esse "enorme presente" nos faz boiar num tempo parado, mas incessante, atrás de um futuro que "não pára de não chegar". Antes, tínhamos os velhos filmes em preto e branco, fora de foco, as fotos amareladas, que nos davam a sensação de que o passado era precário e o futuro seria luminoso. Nada. Nunca estaremos no futuro. E, sem o sentido da passagem dos dias, de começo e fim, ficamos também sem presente, sem noite e sem dia. Estamos cada vez mais em trânsito, como carros, somos celulares, somos circuitos sem pausa, e cada vez mais nossa identidade vai sendo programada. O tempo é uma invenção da produção.

Há alguns anos, eu vi um documentário chamado *Tigrero*, do cineasta finlandês Mika Kaurismaki e de Jim Jarmusch, sobre um filme que Samuel Fuller ia fazer no Brasil, em 1951. Ele veio, na época, e filmou uma aldeia de índios no interior do Mato Grosso. A produção não rolou e, em 92, Samuel Fuller, já com 83 anos, voltou à aldeia e exibiu para os índios o material colorido de cinqüenta anos atrás. E também registrou, os índios vendo seu passado na tela. Eles nunca tinham visto um filme e o resultado é das coisas mais lindas e dramáticas que já vi.

Eu vi os índios descobrindo o tempo. Eles se viam crianças, viam seus mortos, ainda vivos e dançando. Seus rostos viam um milagre. A partir desse momento, eles passaram a ter passado e futuro. Hoje, esses índios estão em trânsito entre algo que foram e algo que nunca serão. O tempo foi uma doença que passamos para eles, como a gripe. E pior: as imagens de cinqüenta anos atrás é que pareciam mostrar o "presente" verdadeiro deles. Eram mais naturais, mais selvagens, mais puros naquela época. Agora, de calção e sandália, pareciam estar numa espécie de "passado" daquele presente. Algo decaiu, piorou, algo involuiu neles.

Lembrando disso, outro dia, fui atrás de velhos filmes de 8mm que meu pai rodou também há cinqüenta anos. Queria ver o meu passado, ver se havia ali alguma chave que explicasse meu presente hoje, que denunciasse algo que perdi, ou que o Brasil perdeu... Em meio às imagens trêmulas, fora de foco, vi a precariedade de minha pobre família de classe média, tentando exibir uma felicidade que até existia, mas era precária, constrangida; e eu ali, menino comprido feito um bambu no vento, já denotando a insegurança que até hoje me alarma. Minha crise de identidade já estava traçada. E não eram imagens de um passado bom que decaiu, como entre os índios. Era um presente atrasado, aquém de si mesmo.

A mesma impressão tive ao ver o famoso filme de Orson Welles *It's All True*, em que ele mostra o carnaval carioca de 1942 – únicas imagens a cores do país nessa década. Pois bem, dava para ver nos corpinhos dançantes do carnaval sem som uma medíocre animação carioca, com pobres baianinhas em tímidos meneios, galãs fraquinhos imitando Clark Gable, uma falta de saúde no ar, uma fragilidade indefesa e ignorante daquele povinho iludido pelos burocratas da capital. Dava para ver ali que, como no filme de minha família, estavam aquém do presente deles, que já faltava muito naquele passado.

Vendo filmes americanos dos anos 40, não sentimos falta de nada. Com suas geladeiras brancas e telefones pretos, tudo já funcionava como hoje. O "hoje" deles é apenas uma decorrência contínua daqueles anos. Mudaram as formas, o corte das roupas, mas, no passado, os americanos estavam de acordo com sua época. Em 42, éramos carentes de alguma coisa que não percebíamos. Olhando nosso passado é que vemos como somos atrasados no presente. Nos filmes brasileiros antigos, parece que todos morreram sem conhecer seus melhores dias.

Memórias póstumas de Glauber Rocha

"Eu morri com 42 anos e odeio ser chamado de clássico, mito, lenda morta, retrato de antologia, posteridade na pedra; vão todos para a puta que os pariu! Ficam se debruçando em mim como se eu fosse um estranho no ninho, um fóssil da velha geração dos anos 60. Eu, que morri duro, percebo que querem me transformar em um filho do impossível, provando que não haveria lugar para mim neste mundo pós-moderno. No entanto, eu fui o primeiro a questionar o simplismo e as superstições que os ortodoxos do cinema e da política defendiam. Pós-moderno fui eu. Quando fiz o *Deus e Diabo*, minhas personagens do bem e do mal se interpenetravam. Corisco queria acabar com a miséria do mundo, matava para não deixar pobre morrer de fome, Antonio das Mortes era shakespeariano, em crise com o destino que o levava a massacrar beatos e cangaceiros, assim como Sebastião, meu Antônio Conselheiro, dizia que o sertão ia virar mar. Eu trouxe Brecht e Eisenstein para o Cinema Novo, dei vida a Euclides e Rosa, mas eu furei mesmo o cinema internacional no palco seco que instalei na caatinga, a laje de pedra onde se moviam o amor, a morte, o véu de noiva, as mulheres se amando, o violeiro cego, o guarda-chuva surrealista, cáctus e sol, o choro de Villa-Lobos, beijos e punhaladas, sexo e castração, tudo ao mesmo tempo, teatralizado num palco transcendental, sem a decupagem de filme americano. Ali, sim, eu mexi na língua do cinema.

Depois, em *Terra em Transe*, sintetizei as forças brasileiras que corroem o país com a gosma de suas cobiças. Ali, no clímax da zona geral, o povo dança e canta entre ladrões, pelegos sindicalistas, demagogos janguistas, polícia, Igreja, bacharéis, prostitutas, todos num emaranhado barroco que culmina com o Jardel Filho tapando a boca de um sindicalista e falando para a tela: 'Vocês já imaginaram o povo no poder?' Foi a maior porrada na sociologia simplista dos derrotados de 64, que me valeu o ódio eterno daqueles que vêem os pobres como uma divindade intocável e não como destituídos e manipulados.

Eu trouxe a geléia das complexidades contra os dualismos fáceis. Eu trouxe a dúvida para as certezas, o choque dos contrários, as rupturas estratégicas e de linguagem para a política e para a poesia. Quem fez isso antes? Eu fui o primeiro a apontar as razões da derrota em 64, nossa ingenuidade e onipotência ideológicas, eu fui o primeiro a falar em alianças e tive a coragem de tentar cooptar o poder militar para um projeto nacional. Quando falei que o Golbery era o gênio da raça, como Darcy Ribeiro, eu estava tentando o saudável sacrilégio de imaginar uma adesão de militares para a abertura que vinha com

Geisel, para além da vitimização repetitiva e masoquista das esquerdas. Só faltaram me empalar como 'reacionário', 'adesista'. Eu buscava uma saída qualquer para a ditadura mas os comunas adoravam as impossibilidades e viviam 'certos' num mundo errado, felizes como 'nobres vítimas'.

Hoje, o Brasil está parecidíssimo com *Terra em Transe*, com a miséria paralisada em meio a um carnaval de corruptos.

Fiz mais sucesso lá fora do que aqui. Quando ganhei Cannes como melhor diretor, em 69, com o *Dragão da Maldade*, o Visconti deu uma festa em minha homenagem, dentro da grã-finagem intelectual européia.

Eu fiquei aterrorizado naquela noite, porque percebi que eu não queria aquele sucesso. Eu ia ser o quê? Um bem-sucedidozinho, um bacaninha tropical, comendo umas *starlets*, fumando charuto, casa com piscina? Eu queria muito mais. Eu não desejava uma revolução simpática, para dar comidinha aos pobres, apenas. Eu queria um terremoto épico, operístico, eu queria uma revolução que esmagasse a mediocridade, uma celebração do impossível.

Eu era como Rimbaud, eu buscava, como ele, 'olhar o céu e ver praias infinitas cobertas de brancas nações em júbilo!'.

Por isso, não havia lugar para nós no mundo. Rimbaud foi para a África. Eu também, fui fazer um filme para explodir o paternalismo dos críticos franceses – o *Leão de Sete Cabeças*.

Lá, eu comecei a morrer. Para mim, não havia futuro. Eu não agüentaria a sopa fria de hoje, o *cash flow*, o mercado, a malandragem molenga da grana. Ofereciam-me tudo, e eu recusei. Fui para os EUA e fiquei num bordel na beira da ferrovia e sujei meu prestígio com os executivos de Hollywood que me davam roteiros caretas. Fui para a URSS e odiei os burocratas cheios de vodca, fedendo a banha de urso. Fui para Cuba e desprezei os comunas latinos que me achavam muy liberal, porque eu fumava maconha e comia as revolucionárias.

E fui enlouquecendo; é necessário dizer isso: morri louco, desesperado, implorando dinheiro à Embrafilme, com a septicemia de uma pneumonia mal curada em Portugal, tentando juntar as pontas do sonho sebastianista com o Nordeste miserável. Faltou-me a terra, faltou-me o cotidiano, faltou-me a lama do realismo, o sujo e o óbvio, faltou-me a rampa do mercado, faltou-me, em suma, Jorge Amado.

No final, em Portugal, na úmida Sintra, eu já não comia mais, vivia escrevendo noite adentro, andava nu dentro de casa, cheio de recortes de jornais brasileiros, que eu tentava organizar como um quebra-cabeça.

Foi então que descobri, aterrorizado, que eu era uma personagem de mim mesmo. Eu não existia mais, eu era uma metáfora. Eu era arte.

E morri, cheio de tubos, naquela cama do hospital no Rio, vendo do travesseiro, em *contre plongé*, meus amigos, o Barretão, o Cacá, o Mascarenhas, o Gustavo, até a besta do Jabor, todos tentando me segurar como um barco que vai partir; mas eu rompi as amarras e fui embora, 'pegando um trem em direção às estrelas...', como escreveu Artaud sobre Van Gogh suicidado."

A pizza está na cara

A PIZZA MOLDA os rostos. Podemos ler a história do Brasil na cara dos políticos. Meu Deus, como suas caretas são inatuais, de mau gosto, e nos mostram como será difícil modernizar esta terra.

Segundo Charles Darwin, os bichos se expressam pelo "princípio da antítese". Por exemplo, um cachorro demonstra amor ao dono, balançando o rabo, amolecendo as costas para denotar ausência de agressividade. A gestualidade dos nossos políticos, ao contrário, visa esconder o que sentem. Assim, o canalha ostenta bondade, o ladrão apregoa honradez.

E, à força de tanto dissimular sentimentos, rostos e barrigas se esculpem em deformações riquíssimas.

A política enfeia os semblantes, a política engraxa os cabelos de brilhantina, a política escolhe gravatas horrendas, a prática constante da vaselina dos fisiológicos lhes cobre a alma de furúnculos morais.

No passado, já sofri com as carrancas da ditadura. Primeiro o Castello Branco, como um "ET" verde-oliva, menor que o próprio "quepe", depois a cara de buldogue de Costa e Silva, sob o riso deslumbrado de Yolanda, a Lady Macbeth brega que mandou baixar o AI-5, a cara de Garrastazu Médici, silencioso vampiro; sofri também com a visão das coxas e barriga de Figueiredo, fazendo ginástica de sunguinha para a nação ver, exibindo a genitália num *strip-tease* militarista.

E hoje, vejo que as sobrancelhas do Lula voltaram a se arquear – sinal de angústia e rancor. Sempre que ele detecta que está perdendo forças, sobe-lhe o sobrolho, uma leve vermelhidão lhe matiza a bochecha, sorri com dentinhos à mostra sem alegria. A sobrancelha é um "ibope" ao contrário. Quando sobe, ele está caindo.

E os gestos e caras vão criando o painel caricato de nossa vida política. Mais que a dança do elefantinho que a Ângela Guadagnin executou, mais que a patusca bailarina, impressiona sua declaração: "Não pinto o cabelo, sou petista!" Genial. É a falta de vaidade revolucionária – não sou burguesa, minha gordura é a favor do povo!... Já Ideli Salvatti tem um fugaz sorriso que denota laivos sexuais nas folgas da militância. Ela defende o PT passionalmente como defenderia seu homem.

Já o Henrique Pizzolato (lembram? Anda esquecido, entre as

dobras da Visanet...) parece um torresmo com cabelo, figura que ele mesmo evocou, se descrevendo. E o doce Heráclito Fortes, que parece tocar sempre um trombone imaginário? E Sarney, que vai embranquecendo por trás do bigode, firme, negro, fixo, enquanto ele se dissolve no tempo? Por falar nisso, onde andará o Greenhalgh? Escondido atrás do bigodão também? Tão escondido quanto o processo de Celso Daniel, que ele ajudou a confundir? E o nariz de Márcio Thomaz Bastos? Está cada dia mais longo, mais "pinocchio", reinando no rosto burguês perdido no PT, com sua fleugma de criminalista a "serviço do povo"... E a cara e corpo de paralelepípedo do Buratti, a imagem do chumbo na alma, a bruta determinação da vingança pelos desencantos sofridos na casa da Mãe Joana... E o Delúbio, se desfazendo entre dentes tortos, sorrisos torpes entre barbas moles?

Ah... a volúpia das barrigas, os cachaços gordos, as narinas infladas de Garotinho e sua ambição malévola? E o governo do Rio de pernas para o ar, como as pernas gordas de Rosinha se despejando dentro do barco no Pantanal, como uma rã se suicidando?

E, no meio das expressões fisionômicas das serpentes, o rosto plácido de Francenildo, a imagem do povo desvalido, bastardo, ignaro, fora da vida social e de repente arrojado dentro da história, o povo que veio atrapalhar o governo "do povo"... E o João Paulo Cunha, ícone puro da hipocrisia petista, que tenta imitar essa placidez proletária, fingindo que é puro? No entanto, nota-se um sorriso levíssimo em sua cara "inocente", quase nada, um tênue deboche por trás da falsa humildade de militante pobre. E a catadura de Mentor, com sua voz fininha, e o Aldo Rebelo, tarefeiro, duro como uma espingarda, apelidado de "boneco do carnaval de Olinda", e a peruca do bispo Rodrigues, e a cara do Okamoto se recusando a abrir o sigilo em que moram todas as verdades do Lula – Okamoto mentindo diante do verdadeiro petista, legítimo, o honrado Paulo Venceslau, que descobriu o pré-valerioduto há cinco anos em São José do Rio Preto e foi expulso por Lula, e Garibaldi Alves com o sorriso do nordestino que tudo sabe, raposa zombeteira, encaracolado como uma cobra cínica, gozando a sordidez daqueles rituais, e a maravilhosa confissão daquele Poletto que se declarou um bêbado para defender o PT, que estava de porre quando falou dos dólares de Cuba, e Gushiken, secando como um Ho Chi Mim empalhado, e o Valério, careca como um pênis que a todos estuprou, o sedutor que deflorou o PT, sem um esgar, uma lágrima, com aquela cabeça de Brancusi, como a cúpula do Congresso que ele comprou, e o feixe de nervos de Bittar partindo para a porrada com o Delcídio de argênteos cabelos, revelando que os petistas usam a "democracia" como um pretexto e ficam loucos quando ela prevalece, como no relatório magistral da CPI?

Se alguma coisa ficou variegada e polimorfa no país, foi a mentira – nossa tradição ibérica que essas caras todas preservam. Já tivemos brados de honradez, socos nas mesas, babas indignadas nas negações em tribunais, hipócritas lágrimas de esguicho, punhos batidos no peito e clamores a Deus, mas hoje temos a maneira petista de mentir, que muito enriqueceu esse torto sentimento. Mentira para eles é uma tarefa revolucionária, apenas uma necessidade da ação e luta, mentir é um dever, quase uma honra, um pecadilho para a grandeza de sua missão. É uma mentira necessária dentro de uma mentira maior, em torno da qual o Lula orbita, como um astronauta populista, flutuando graças à ignorância da população.

O apagão e as luzes da infância

Durante o apagão, lembrei-me de que, quando tive sarampo, puseram um papel vermelho na lâmpada do teto. O quarto inteiro ficou todo inflamado, rubro como eu. Por quê? Mandinga caseira contra a doença infantil.

Da rua vinham ruídos remotos: cachorro latindo, o pregão do vassoureiro, gritos de crianças, vizinhas conversando, cigarras. A tarde caía negra e roxa... Agora, cinqüenta anos depois, estou de cama, com antibióticos e cortisona, escrevendo com dedos trêmulos... Virose renitente. Mas acho que meu mal vem das bactérias da política, que minha moléstia é um apagão defensivo contra o espetáculo de incompetência a que assistimos.

Nós morávamos em casa de subúrbio, pequena, com quintal, galinha e mangueira. Tudo era baldio em volta, toda a precariedade do subúrbio era visível a olho nu. Tudo era cambaio, troncho. Hoje, essa pobreza é disfarçada pela falsa aparência do progresso...

As noites eram mais escuras. Volta e meia, faltava energia; tudo se apagava de repente (com gritos de "Aiiii!") e minutos depois a luz voltava, com um "ahhhh!" geral de alívio na vizinhança.

Era curta minha paisagem noturna de menino: rua, poste amarelo, fogueira no capinzal, a luz verde no rádio de meu pai (não havia ainda a janelinha da TV Tupi), a luz da Santa Terezinha de minha mãe no corredor, a luz do carbureto do pipoqueiro nas poças, balões coloridos no céu, balões-tangerina, balões-charuto, balões cravejando o céu como galáxias brilhantes.

De noite, eu era um menino triste, pelos cantos. De dia, o sol era meu, a chuva chegava de longe, por atrás das grandes choronas onde urubus pousavam, as nuvens-camelo, as nuvens-girafa, e eu as desenhava deitado no chão de terra onde as formigas eram minhas, os caramujos com sua gosminha madrepérola, eram meus, as mangas-rosa eram minhas, minha irmã, minha mãe, pai, tudo era meu mundo pleno e sólido.

Isso me consolava, pois eu percebia uma infelicidade latente na sala, choros atrás da porta do quarto, meu pai chutando o sofá decô de minha mãe em prantos, enfurecido, pois ela tinha saído sem meias de náilon, silêncios pesados no jantar, sorrisos amargos de minha mãe, tudo denotava alguma coisa frágil em nossa vida que não ia dar certo e que eu não entendia bem.

Um dia, começaram a falar de "eclipse". O que era isso? Ia acontecer o maior eclipse da história da ciência, o eclipse total do Sol, e o Brasil era o lugar ideal para observá-lo. Me explicaram e eu não entendi. Eu tinha uns seis anos. E começaram a chegar cientistas estrangeiros, aparelhos, comitivas que o rádio celebrava. O Brasil se sentia importante, pois servia ao menos de camarote de eclipse.

Eu fui para o quintal, olhar o céu. Mandaram-nos quebrar garrafas e enfumaçar cacos de vidro para ver o sol sem ficar cego. "Se bobear, fica cego!" A molecada olhava o céu. Até que aconteceu. O rádio berrava a hora H, como narrando um jogo de futebol... "Olha lá, olha lá!... Tá chegando!..." E o sol foi sendo invadido por uma sombra, e tudo ficou negro no meio do quintal. Caiu uma noite súbita, sinistra – por quanto tempo? Os passarinhos pararam de piar, as folhas ficaram pretas, o vento ficou visível, minha casa se apagou ao fundo, com meu pai, minha mãe e as empregadas na varanda, todos olhando para cima, com cacos de vidro na mão, e eu fiquei olhando minha família. E, então, eu vi, no escuro do eclipse, a fragilidade daquelas pobres pessoas de subúrbio, eles, eu, batidos por um vento frio, trêmulos de espanto com o céu, nós todos, ali, desamparados. Vi então que a casa, minha mãe, papai de uniforme de capitão, minha irmãzinha chorando, a triste empregada com pano branco na cabeça, as galinhas, tudo ia passar, e que nós íamos nos apagar também, pois tudo tinha ficado mais longe, como os urubus no infinito. Minha vidinha de criança foi deslocada de repente pelo eclipse... O sol não era mais meu, o céu, as árvores, meus pais, nada era fixo, nada era nosso.

Nossa pobre família viajava num tempo escuro, sem controle, como um barco na correnteza. O mundo tinha vida própria, o sol não se importava conosco, éramos desamparados. Havia gente mais importante que nós, os estrangeiros, os cientistas, e nós ali, de cara para cima, olhando um céu preto.

Hoje, no Brasil, nos sentimos assim: Deus não é mais brasileiro, a natureza não é nossa mãe, ignora-nos, como as elites seculares. Com o apagão, descobrimo-nos sozinhos, sem luz, sem nada. Com o eclipse, vi o drama de minha família da classe média dos anos 40. "Fenômeno", falava o rádio. Que é "fenômeno"? Descobri confusamente que "fenômeno" éramos nós...

O governo que desmoralizou o escândalo

O QUE FOI que nos aconteceu? No Brasil, estamos diante de acontecimentos inexplicáveis, ou melhor, "explicáveis" demais. Toda a verdade já foi descoberta, todos os crimes provados, todas as mentiras percebidas. Tudo já aconteceu e nada acontece. Os culpados estão catalogados, fichados, e nada rola. A verdade está na cara, mas a verdade não se impõe.

Claro que a mentira sempre foi a base do sistema político, infiltrada no labirinto das oligarquias, claro que não esquecemos a supressão, a proibição da verdade durante a ditadura, mas nunca a verdade foi tão límpida à nossa frente e, no entanto, tão inútil, impotente, desfigurada, broxa.

Os fatos reais: com a eleição de Lula, uma quadrilha se enfiou no governo e desviou bilhões de dinheiro público para tomar o Estado e ficar no poder vinte anos. Os culpados são todos conhecidos, tudo está decifrado, os cheques assinados, as contas no estrangeiro, os tapes, as provas irrefutáveis, mas o governo psicopata de Lula nega e ignora tudo. Questionado ou flagrado, o psicopata não se responsabiliza por suas ações. Sempre se acha inocente ou vítima do mundo, do qual tem de se vingar. O outro não existe para ele, e não sente nem remorso nem vergonha do que faz. Mente compulsivamente, acreditando na própria mentira, para conseguir poder. Esse governo é psicopata. Seus executivos riem da verdade, viram-lhe as costas, passam-lhe a mão na bunda. A verdade se encolhe, humilhada, num canto.

E o pior é que o Lula, amparado em sua imagem de "povo", consegue transformar a Razão em vilã, as provas contra ele, em acusações "falsas", sua condição de cúmplice e comandante, em de "vítima". E a população ignorante engole tudo.

Como é possível isso? Simples – o Judiciário paralítico entoca todos os crimes na fortaleza da lentidão e da impunidade. Só daqui a dois anos serão julgados os indiciados – nos comunica o STF. Os delitos são esquecidos, empacotados, prescrevem. A Lei protege os crimes e regulamenta sua própria desmoralização. Jornalistas e formadores de opinião sentem-se inúteis, pois a indignação ficou supérflua. O que dizemos não se escreve, o que escrevemos não se finca, tudo quebra diante do poder da mentira desse governo.

Está havendo uma desmoralização do pensamento. Deprimo-me: "Denunciar para quê, se indignar com quê? Fazer o quê?" A existência dessa estirpe de mentirosos está dissolvendo a nossa língua. Este neocinismo está a desmoralizar as palavras, os raciocínios. A cada cassado perdoado, a cada negação do óbvio, a cada testemunha muda, aumenta a sensação de que as idéias não correspondem mais aos fatos! Pior: que os fatos não são nada – só valem as versões, as manipulações.

No último ano, tivemos um único momento de verdade, louca, operística, grotesca mas maravilhosa, quando o Roberto Jefferson abriu a cortina do país e deixou-nos ver os intestinos de nossa política.

Depois surgiram dois grandes documentos históricos: o relatório da CPI dos Correios e o parecer do procurador geral da República. São verdades cristalinas, com sol a pino. E, no entanto, chegam a ter um sabor quase de "gafe". E a mentira vai se acumulando como estrume durante um ano e acaba convencendo muitos ingênuos de que "sempre foi assim" ou de que "erraram com boa intenção" ou "como podem corruptos liberais condenar gente do PT?".

Primeiramente, nunca foi assim, ou, como diria o discurso cacofônico do Lula, "nunca antes foi assim". Essa diferença é fundamental. Sempre houve corrupção no Brasil? Claro que sim, desde a fundação de Salvador em 1549 que roubam sem parar, furtam sem parar, como disse Vieira. Mas a diferença que muitos não entendem é que o PT no poder "revolucionou" a corrupção tradicional de uma forma monstruosa. "Nunca antes", nunca antes um partido tomou o poder no Brasil e montou um esquema secreto de "desapropriação" do Estado, para fundar um "outro Estado" ou para ficar vinte anos no poder. Dizer que "sempre foi assim" é burrice ou má-fé.

"Nunca antes" se roubou com "boa consciência". O ladrão tradicional sabia-se ladrão. Até os imundos sanguessugas sabem disso. O ladrão tradicional roubou sempre em causa própria e se escondia pelos cantos para não ser flagrado. Os ladrões desse governo roubam de testa erguida, como se estivessem fazendo uma "ação revolucionária", se orgulham de fingir de democratas para apodrecer a democracia por dentro. As desculpas tão absurdamente ilógicas comprovam tudo que eles negam. A verdade está sempre no avesso do que dizem.

No duro, os intelectuais matreiros (onde estão os marxistas de gabinete?) votarão em Lula de novo e dizem que "sempre foi assim" porque, no duro, eles acham que o lulo-dirceuzismo estava certo, sim, e que o PT e sua quadrilha fizeram bem em assaltar o Estado para um "fim revolucionário". Na moita – porque não se declaram –, não são democratas.

Assim como o stalinismo apagava fotos, re-escrevia textos para coonestar seus crimes, o governo do Lula está criando uma língua nova, uma "novi-língua" empobrecedora da ciência política, uma língua esquemática, dualista, nos preparando para o futuro político simplista que está se consolidando no horizonte. Toda a complexidade rica do país será transformada em uma massa de palavras-de-ordem, de preconceitos ideológicos. Lula será eleito por uma oposição mecânica entre ricos e pobres, dividindo o país em "a favor" do povo e "contra", re-cauchutando significados que não dão mais conta da circularidade do mundo atual. Teremos o "sim" e o "não", teremos a depressão da razão de um lado e a psicopatia política de outro, teremos a volta da oposição mundo x Brasil, nacional x internacional.

Alguns otimistas dizem: "Não... esse maremoto de mentiras nos dará uma fome de verdades!" Não creio. Vamos ficar viciados na mentira corrente, vamos falar por antônimos. Ficaremos mais cínicos, mais egoístas, mais burros.

O Lula re-eleito será a prova de que os delitos compensaram.

Nosso coração está mais frio

QUE CHATO!... – perdemos o espetáculo de antropofagia que ia rolar na revolta da prisão do Urso Branco. Estávamos loucos para ver o churrasco de presos no teto da cadeia em Rondônia.

Tivemos, claro, como prêmio de consolação, os corpos pendurados do alto, corpos elegantemente esquartejados, sem cabeça, na frente de familiares, filhos, crianças. "Vamos comer os corrós!", berravam eles na TV enquanto víamos com fascinação sinistra a chegada dos embrulhinhos dos corpos dos trinta garimpeiros massacrados por nossos doces silvícolas que hoje traficam diamantes, de bigodinho, calção e relógio. Será que os cintas-largas também comeram pedaços de garimpeiros num piquenique na floresta? Longe vão os tempos em que os índios comiam os inimigos em guerras dignas, preferindo que os condenados mostrassem coragem na hora do esmagamento do crânio, pois suas picanhas e chãs-de-dentro teriam mais sabor. Não creio que os garimpeiros tenham morrido de cabeça alta, como um *I-Juca Pirama*. Devem ter uivado de pavor diante dos tacapes brandidos pelos morubixabas e pajés de Ray-Ban. Pena que não pudemos ver a chacina diante das câmeras, a menos que algum índio tenha gravado em VT, pois deve ter sido mais espetacular que os filmes de gângster que arrombam cabeças a golpes de bordunas de beisebol. E será que os índios vão mesmo se aliar ao MST, como anunciaram? Será que o ministro da Justiça vai dizer na TV que só é legítimo que comam apenas fazendeiros improdutivos? Haverá churrasco de ruralistas em fazenda de eucalipto, com a bênção dos bispos?

Hoje em dia, as cenas de destruição de corpos têm de ser diante das câmeras. Se não há a visão, não há o fato. Belíssimo exemplo de morte moderna foi no ônibus 174 (que deu naquele filme extraordinário), onde o nosso herói foi morto diante do olho da TV, para nossa emoção horrorizada. Oh... como lamentamos a violência, mas, por outro lado, que seria de nossas noites se não houvesse esses crimes que nos eletrizam?

O grande momento foi, sem dúvida, o 11 de setembro em NY, quando os aviões entraram como facas num pudim de trezentos andares, quando assistimos à inesquecível derrubada das duas torres, dois sorvetes derretendo. Osama fez aquilo para ser filmado, para existir virtualmente para sempre. Osama realizou o sonho de todos os produtores de Hollywood, que fizeram dezenas de filmes mostrando corpos explodindo e NY sendo destruída.

Por que a morte ao vivo é tão fascinante? Bem, primeiro pelo mecanismo do "antes ele do que eu", o que nos dá uma mistura de medo com alívio. O espetáculo da morte alivia a tensão, porque nosso ódio é purificado por uma espécie de "*kátharsis* pós-moderna". Explico. A *kátharsis* antiga da tragédia grega visava a justamente integrar o indivíduo na pólis; já a *kátharsis* de hoje nos isola da sociedade, nos desintegra, nos "aliena". Os assassinados pagam por nossas humilhações e sapos engolidos. Há algo de sinistramente "revolucionário" na violência: a negação da ética, da compaixão, do "outro" – esse chato com quem nos obrigam a conviver. Curtimos a beleza dos golpes, dos tiros, de todo o charme das penetrações e sangue espirrando.

Se há cinqüenta anos Auschwitz nos chocou com os corpos empilhados em pirâmides nas valas, hoje a morte vem em pílulas, de todos os tipos, trazida por homens-bomba, xiitas sangrando, pitbulls, bandidos e canibais. Os horrores das duas guerras mundiais foram mais chocantes (e também mais esquecidos) porque os meios de comunicação de massa não eram tão onipresentes. Vamos nos acostumando aos corpos mutilados, aqui, no Iraque, na Palestina, os cadáveres da Rocinha, tudo nos traz um torpor conformado, um desalento que nos desobriga de ter esperança, nos traz o tédio diante do entusiasmo, da criação, da arte, prefigurando a derrocada da filosofia, o fim da política.

Junto com o fim de uma harmonia possível, vem a desesperança e, com ela, reina absoluto o narcisismo solitário. Sem esperança, tudo vira egoísmo. Assim, o "outro" passa a existir somente como objeto a ser comido. Ser desumano é *in*.

O objetivo a conquistar não é mais riquezas, mas a glória de vender a si mesmo. A verdade é que os crimes frios de hoje são um prenúncio dos futuros extermínios que virão.

Ficou arcaica a idéia de compaixão, e seremos tocados pela graça da insensibilidade. Teremos que esfriar mais e mais o coração para viver no Brasil. A sordidez política nacional nos levará a isso. Por enquanto ainda falamos "Que horror!". Mas, um dia, chegaremos a um coração perfeito, sem amor ou culpa. A sobrevivência moderna precisa do crime.

As chuteiras sem pátria

QUANDO CHEGA UM fax com barulhinho de cornetas celestiais, eu já sei: é carta do Nelson Rodrigues. Não deu outra. Nelson me pedia para publicar um texto sobre a Copa, já que estava sem contato nos jornais: "Eu sou do tempo do Pompeu de Souza, do Prudente de Morais Neto... Não conheço esses meninos da redação..." Muito bem, aqui vai seu comentário sobre o sábado da desgraça:

"Amigos, a derrota é um grande momento de verdade. Só diante da vergonha é que entendemos nossa miséria. Num primeiro momento, queremos encontrar uma explicação para o fracasso, mas fracasso não se improvisa – é uma obra calculada, caprichada durante meses, anos até. Não adianta berrar no botequim que o Parreira é uma besta ou que o Ronaldo é um gordo perna-de-pau. Não. Nosso fracasso começou antes, porque esta seleção não foi a pátria de chuteiras; foram as chuteiras sem pátria.

Para nossos jogadores ricos e famosos, o Brasil é a vaga lembrança da infância pobre, humilhada. O país virou um passado para os plásticos negões falando alemão, francês, todos de brinco e com louras vertiginosas. Não são maus meninos, ingratos, não; mas neles está ausente a fome nacional, a ânsia dos vira-latas querendo a salvação. O povo todo estava de chuteiras, para esquecer os mensalões e os crimes, mas nossos craques não perderam quase nada com a derrota; tiveram apenas um mau momento entre milhões de dólares e chuteiras douradas pela Nike.

Isto me faz lembrar o grande Nenen Prancha do Botafogo: 'Temos de ir na bola como num prato de comida!...' Que frase profunda, esquecida hoje... Nosso time come bem e nem os jogadores nem os técnicos, nem os roupeiros e massagistas viram o óbvio, ali, uivando, ululando nos vestiários: o time estava sem conjunto, os jogadores estavam presos a um esquema tático que contrariava suas vocações. Só o povo berrava: 'Ronaldo está gordo, Ronaldinho tem de atuar mais livre, os jovens têm de jogar mais!' E, quanto mais o óbvio se repetia, mais o Parreira se obstinava em sua lívida teimosia... Por quê? Porque o técnico é sempre contra a opinião geral. Em vez de orientar as vocações dos rapazes, ensinando-lhes a liberdade, a coragem e o improviso, o Parreira achou que todos têm de caber em sua estratégia. O pior cego é o surdo. E jogador brasileiro não gosta de lei nem de planejamentos; quer inventar sozinho. O técnico devia ser um reles treinador, quase um roupeiro, humilde diante dos craques. Mas o Parreira parecia um 'Mussolini' de capacete e penacho. Teve vários sinais de tirania: só dava a escalação no vestiário, com os jogadores mal dormidos, na insônia da dúvida da convocação, não teve coragem de barrar as estrelas, como se fosse uma afronta ao passado e às multinacionais. Ronaldo fez gols, tudo bem, mas foi uma âncora pesada desde o início, em torno da qual os problemas giraram. Parreira ficou com medo dos jovens e eu via em seus rostos o desespero do banco. Robinho arfava de rancor e só entrava quando era tarde demais. Robinho foi o único que chorou no final, ainda menino e puro. Quem teve a mãe seqüestrada sabe o que é tragédia. E, para escândalo do país, Robinho ficou de castigo.

Ao final de tudo, Parreira disse a frase suicida: 'Não estávamos preparados para perder!...' Isso é a morte súbita, isso é a guilhotina. Sem medo, ninguém ganha. Só o pavor ancestral cria uma tropa de javalis profissionais para a revanche, só o pânico nos faz rezar e vencer, só Deus explica as vitórias esmagadoras, pois nenhum time vence sem a medalhinha no pescoço e sem ave-marias. Mas Parreira ignorou a divindade e acreditou em si mesmo, com a torva vaidade de uma primadona gagá, com pelancas e varizes.

Isso era o óbvio, mas foi ignorado. E quando o óbvio é desprezado, ficamos expostos ao sobrenatural, ao mistério do destino. Por exemplo, por que começamos o jogo como um corpo de bailarinos eufóricos e, 15 minutos depois, ficamos paralíticos como sapos diante de cascavéis, com o Zidane dando chapéus até no Ronaldo? Será que diante da "Marselhesa" sofremos um pavor reverencial? Em 98, Ronaldo caiu em convulsões de cachorro atropelado no vestiário. E agora? No sábado não estávamos com medo da França, não; o que tivemos foi medo de nós mesmos, voltou-nos o complexo de vira-latas, inibidos como vassalos diante do Luís XIV, de sapato alto e peruca empoada. Foi assim em 98 e agora. A França é muito chique para filhos do Capão Redondo e de Bento Ribeiro.

Mas quem ganha e perde as partidas é a alma. E a nossa estava dividida entre o *match* e a linha de passe, entre o show e a vitória. Houve o episódio da meia do Roberto Carlos, que um segundo antes do gol da França estava ajeitando a liga como uma madame Pompadour. Pelé notou o descuido frívolo e trágico, pois guerreiro furioso não conserta a roupa na batalha. Esse pequeno gesto revelou equívocos fatais, teorias e teimosias.

Outra coisa que nos matou foi a torcida. Nunca houve uma torcida tão desesperada por uns minutos de paraíso, de brilho. Foi diferente de 1950. Lá, sonhávamos com um futuro para o país. Agora, tentávamos limpar nosso presente. Explico: somos uma nação de humilhados e ofendidos, debaixo da chuva de mentiras políticas, violência e crimes sem punição. Descobrimos que o país é dominado por ladrões de galinha, por batedores de carteira e pelos traficantes. Por isso, a população queria que o *scratch* fizesse tudo que o Lula não fez. Mas era peso demais para os rapazes. A 10 mil quilômetros, os jogadores ouviam os gemidos ansiosos das multidões de verde-e-amarelo, como uma asma patriótica. Não esperávamos uma vitória, e sim uma salvação. Só a taça aplacaria nossa impotência diante da zona brasileira, a seleção era nossa única chance de felicidade. Queríamos a taça para berrar ao mundo e a nós mesmos: 'Viram? Nós brasileiros somos maravilhosos!'

Mas, não deu. É só."

Eça de Queiroz e o Brasil

A CRISE DA corrupção "revolucionária" no país e as críticas que escrevo me lembraram as *Farpas*, os textos de juventude de Eça de Queiroz e Ramalho Ortigão, esculachando a estupidez portuguesa no século XIX. Nesses panfletos de jornal, aprendi o que era crítica social e de costumes. Eça foi a maior paixão da minha vida. Com ele aprendi tudo: minha pobre escritura, a importância do humor, do ritmo do texto, e muito sobre a nossa ridícula loucura ibérica.

Quando era garoto, 13, 14 anos, já lia Eça. E amava-o tanto que – acreditem – me postava na porta do Colégio Santo Inácio, na hora da saída, para ver passar um homenzinho da vizinhança ali de Botafogo que era um sósia de Eça. Quem seria? Um bancário, um contador, quem? Tinha o rosto enfezado por um fígado ruim (como o Eça) que lhe franzia a boca num escárnio risonho. Tinha a mesma pastinha de cabelo sobre a testa curta, o olho rútilo, o mesmo bigode, o gogozinho de pássaro, os braços de cegonha, a palidez biliosa. Só lhe faltava o monóculo cravado no olho irônico. Vê-lo passar me encantava como diante de um ressuscitado.

Eu era assim em 1957. Aos 13 anos, descobri um livro roído de traças na casa de meu avô: *O Primo Basílio*, que minha avó tentou proibir ("Isso não é para criança!..."). Li e minha vida mudou. Era como se toda a névoa confusa da infância, vagas tias, vultos, rezas, tristes salas de jantar, secos padres jesuítas, tivesse subitamente se dissipado. O mundo ficou claro, através das personagens de Eça. Ali estavam todos os tipos que eu conhecia, ali estavam explicados os arrepios de horror diante do teatrinho pequeno-burguês do Rio. O primo Basílio chegava com sua vaidade brutal e me explicava os cafajestes brasileiros, o padre Amaro me decifrava a tristeza sexual das clausuras do colégio jesuíta, o conselheiro Acácio era a burrice solene de professores e políticos, Damaso Salcede espelhava centenas de mediocridades gorduchas, Gonçalo Ramirez era o frágil caráter de hesitantes como eu e tantos outros. E vinha Thomaz de Alencar, com sua literatice melancólica, vinha o banqueiro Cohen, esperto e corno, sentia a sensualidade da condessa de Gouvarinho, flutuava no ar o cheiro enjoado da Titi Patrocínio da *Relíquia* e, claro, as coxas de Adélia, sem falar no supremo frisson do famoso *minette* do primo Basílio na Bovary Luiza (razão básica da proibição alarmada de minha avó). E não só o desfile dos medíocres, mas as fileiras dos heróis ecianos: Carlos da Maia, João da Ega, Jacintho de Tormes, Fradique Mendes – cultos, elegantes, ricos e irônicos corrosivos. Eça me dava a alma viva do século XIX, atacando a mediocridade portuguesa, os sebastianistas de secretaria, os burocratas pulhas, os melancólicos de charutaria, a burrice épica de um Pacheco ou do conde de Abranhos. Que fartura! Era a sociologia de nosso destino de fracassados.

Até hoje, quando vejo, por exemplo, a TV Câmara ou Senado, penso: será que esses caras aí na CPI nunca leram Eça de Queiroz? Nunca ninguém viu uma caricatura, ninguém leu Rabelais, ninguém viu Daumier, Hoggarth, Goya, ninguém leu Balzac, Flaubert, Swift? Não. Nada. O brasileiro navega tranqüilo, intocado em sua vaidade estúpida. E os corruptos em sua impávida sordidez.

A velha comparação entre Machado de Assis e Eça de Queiroz nunca me atingiu. Eu sempre preferi o português ao nosso grande mulato. "Ah... porque o Machado é bem mais sutil!...", (diz-se) comparando-se, por exemplo, Capitu à Luiza do *Primo Basílio* (que o próprio Machado, ciumento, acusou de plágio da *Eugenie Grandet*). "Ahhh!... porque o Machado tem mais níveis de significação, mais complexidade psicológica etc. e tal..." Tudo bem... O grande Machado atingiu subtons que Eça nem tentou, por escolha. Machado é mais inglês; Eça é mais francês. Saído das costelas de Flaubert, Balzac e Zola, Eça funda uma literatura caricatural contra as perdidas ilusões ibéricas, com um riso deslavado, com uma proposital "falta de sutileza" que resulta depois sutilíssima. Eça cria um realismo quase carnavalizado, sem anseios de transcendência. Machado é mais, digamos, "nauseado". Deixa-se envolver por um pessimismo que o claro riso de Eça recusa. É verdade que as personagens de

Eça não são tão "livres" quanto em Machado. Mas seu estilo, mesmo povoado de grotescos óbvios, tem uma grandeza flaubertiana rara. O "tipo" eciano não tem uma grande "complexidade", mas isso talvez seja o que nossa mediocridade social merece. Somos mesmo "tipos". Como em seu neto Nelson Rodrigues, há nele uma superficialidade "profunda", muito atual neste tempo em que os valores idealizados caíram no chão. Vejam se este trecho das *Farpas* não é sob medida para nós:

"O país perdeu a inteligência e a consciência moral. Não há princípio que não seja desmentido nem instituição que não seja escarnecida. Já não se crê na honestidade dos homens públicos. A classe média abate-se progressivamente na imbecilidade e na inércia. O povo está na miséria. Os serviços públicos abandonados a uma rotina dormente. O desprezo pelas idéias aumenta a cada dia. A ruína econômica cresce, cresce, cresce... A agiotagem explora o juro. A ignorância pesa sobre o povo como um nevoeiro. O número das escolas é dramático. A intriga política alastra-se por sobre a sonolência enfastiada do país. Não é uma existência; é uma expiação. Diz-se por toda parte: 'O país está perdido!'"

Eça escreveu isso em 1871.

Fala, Osama

"Meus queridos irmãos: aqui, reunidos nesta caverna, podemos conversar em paz, em nome de Alá, que nos deu a felicidade de travar essa guerra santa contra os cães infiéis do mundo todo.

Estamos no caminho certo, queridos irmãos, pois Alá me deu a luz de uma grande idéia: lancei os aviões americanos contra a própria América e agora estou lançando o Bush para destruir o Ocidente. Alá seja louvado, pois o Bush está fazendo tudo o que eu quero, pois, com a ajuda de Alá, ele segue direitinho o meu *script*, minhas ordens. Obcecado por se vingar de mim, ele está, na verdade, hipnotizado por meus desejos. Bush é meu escravo. É meu homem-bomba. Ele vai atacar o Iraque e abrir as portas do inferno na Ásia e depois na Europa.

Irmãos: com a ajuda de Alá, eu consegui jogar a nação mais poderosa do mundo, com US$500 bilhões em armas, contra o nada. Eles vão atacar o vazio, assim como venceram 'nada' no

Afeganistão, pois nossos irmãos talibãs estão em toda parte, se reorganizando, e nós, felizes e seguros, planejamos novos ataques em nossas caverninhas com ar-condicionado.

De que vale tanto poder bélico contra nossos mártires? Nem precisamos nos aporrinhar em atacar de novo os EUA. Basta nosso silêncio assustador. Eles não terão mais sossego. O silêncio será sinônimo de perigo. Por isso não adianta atacar o Iraque. Milhões de novos combatentes vão surgir no Oriente Médio, fortalecidos. Nunca uma nação humana será tão odiada quanto a América.

E não seremos nós os atingidos. Bush vai desorganizar todas as conquistas iluministas do Ocidente, do século XVIII para cá: razão, tolerância, democracia. Bush vai apagar os últimos vestígios democráticos que orientaram seus 'pais fundadores'. Bush está entregando o país para a indústria da guerra, que nunca faturou tanto como agora. A América é uma máquina desejosa de guerra. Eu só fiz acirrar este desejo. Há milhões de armas que 'desejam' ser usadas. As bombas desejam explodir. Suas armas não foram feitas para serem usadas na guerra; eles farão uma guerra para usar as armas.

Bush vai arrasar a esperança da Europa, que, depois de um século de brutalidades, de duas guerras mundiais, estava no caminho de uma paz feita de comércio, diplomacia e tolerância. Os americanos sempre odiaram os europeus afrescalhados, que falam em coisas humanistas, metidos a 'superiores'. América e Europa não têm nada em comum. Bush marca o início da era da estupidez, a vitória dos imbecis no poder. Forrest Gump, o idiota vencedor, já era um indício da 'beleza da estupidez', como Bush declarou em Yale: 'Eu sou a prova de que ninguém precisa estudar para ser presidente dos EUA.'

Bush é um idiota completo. Ele é perfeito para meus planos. Nada melhor para nós, irmãos, louvado seja Alá... Em 11 de setembro, eu dei à América o pretexto para se sentirem vítimas – tudo o que o Bush precisava, assim como Hitler também era 'vítima' da humilhação da Alemanha depois da Primeira Guerra.

Eles vão desmoralizar a ONU de uma vez por todas, vão acabar com a Otan, vão trair os acordos antinucleares, vão ignorar o Tribunal Penal Internacional, seus aliados vão romper com eles, a guerra Israel-Palestina vai virar uma endemia para sempre, vão transformar a Europa num continente horrorizado e antiamericano, vão se meter em toda parte, da Ásia à Colômbia, para ódio de todos. A verdade é esta: a América jamais aceitará ser igual aos outros países; eles só disfarçavam para não serem chamados de boçais.

Eles acham que estão me combatendo, irmãos, mas nós somos invisíveis; eles estão combatendo e destruindo seus amigos e a si mesmos.

Eu estou obrigando os EUA a serem uma potência solitária, uma máquina guerreira isolada para sempre, pois eu vou obrigá-los a destruir a democracia a pretexto de defendê-la.

E a arrogância unilateral pedirá mais arrogância, mais força, mais confronto. A Europa vai se rearmar, a China e a Rússia vão relubrificar seus mísseis e uma grande nuvem atômica poderá destruir o mundo todo, irmãos!... Mas não temam, irmãos, pois nós não vamos sofrer nem perder nada, pois, no martírio nuclear que virá, iremos todos para o paraíso em meio às nuvens de fogo, ao encontro de Alá, o único deus, sendo Maomé e, agora, eu os seus profetas!"

Viva a catástrofe! Os bons tempos voltaram!

SEMPRE QUE HÁ uma catástrofe nacional, irrompe uma euforia de cabeça para baixo. É como se a opinião pública dissesse: "Eu não avisei? Bem que eu falei, não adianta tentar que sempre dá tudo errado..."

Há um grande amor brasileiro pelo fracasso. Quando ele acontece, é um alívio. O fracasso é bom porque nos tira a ansiedade da luta. Já perdemos, pra que lutar? A plataforma da Petrobras afundando suavemente nos deu uma sensação de realidade. Parecia o Brasil indo a pique.

Não é uma ameaça de CPI, não é um perigo de *crash* na Bolsa. É morte, gás e fogo. E nossa vida fica mais real e podemos então, aliviados, botar a culpa em alguém. Chovem cartas de leitores nos jornais. Todas exultam de indignação moral. Nada como um desastre ou escândalo para acalmar a platéia.

Há uma tradição colonial de que nossa vida é um conto-do-vigário em que caímos. Somos sempre vítimas de alguém. Nunca somos nós mesmos. Ninguém se sente vigarista. O fracasso nos enobrece. O culto português à impossibilidade é famoso. Numa sociedade patrimonialista como Portugal do século XVI, onde só o Estado-Rei valia, a sociedade era uma massa sem vida própria. Suas derrotas eram vistas com bons olhos, pois legitimavam a dependência ao rei. Fomos educados para o fracasso.

Quem tem coragem de ir à TV e dizer: "O Brasil está melhorando!", mesmo que esteja? Ninguém diz. É feio. Falar mal do país é uma forma de se limpar. Sentimo-nos fora do poder, logo é normal sabotar. A plataforma da Petrobras afundando derreteu feito bala de açúcar na boca dos fracassomaníacos.

O fracasso é uma vitória para muitos. Não fui eu que fracassei; foi o governo, o neoliberalismo. O maior inimigo da democracia é a aliança entre o ideologismo regressista e a oligarquia vingativa, como veremos agora na aliança Lula-PMDB.

Nossos heróis todos fracassaram. Enforcados, esquartejados, revoltas abortadas, revoluções perdidas. Peguem um herói norte-americano: Paul Revere, por exemplo. Cavalgou 24 horas e conseguiu salvar tropas americanas na Guerra da Independência. Foi o herói da eficiência. Aqui, só os fracassados verão a Deus. "Seja marginal, seja herói." A vitória dá culpa; o fracasso é um alívio. A vitória é burguesa. A catástrofe, o bode preto têm um sabor de "revolução". É como se a explosão "revelasse" algo, uma tempestade de merda purificadora. Além disso, para os carbonários, depois de tudo arrasado, a pureza talvez renasça do zero. Assim pensava Pol Pot.

Nossos intelectuais se deliciam numa teoria barroca da "zona" geral. O Brasil é visto como um grande "bode" sem solução, o paraíso dos "militantes imaginários". Quem quiser competência é traidor. A miséria tem de ser mantida *in vitro*, para justificar teorias e absolver inações. A Academia cultiva o "insolúvel" como uma flor. Quanto mais improvável um objetivo, mais "nobre" continuar tentando.

Há um negativismo crônico no pensamento brasileiro. Paulo Prado contra Gilberto Freyre. Para eles, a esperança é sórdida; a desconfiança é sábia: "Aí tem dente-de-coelho, alguma ele fez..."

A *real politik* virou *"shit politics"*. Assim como o atraso sempre foi uma escolha consciente no século XIX, o abismo para nós é um desejo secreto. Há a esperança de que no fundo do caos surja uma solução divina... "Qual a solução para o Brasil?", perguntam. Mas a própria idéia de "solução" é um culto ao fracasso. Não lhes ocorre que a vida seja um processo, vicioso ou virtuoso, e que só a morte é solução.

O Brasil se animou com a plataforma afundando. Oba! É o velho Brasil descendo a ladeira! Viva! Os bons tempos voltaram!

Como era bom nosso comunismo...

EU DEVO TER assistido a umas mil horas de reuniões de esquerda em minha vida. Fui comunista de carteirinha no PCB, de onde saí para um grupo "independente", mais moderno, cognominado, claro, pelos velhos pecebões de "Grupo Vertigem – pequeno-burguês e revisionista".

Dentro do PCB, nossa mania era das reuniões sem fim – o assembleísmo. Falo dessas coisas remotas porque esse é um dos males que assombram o PT no poder. Discutíamos infinitamente para chegar a uma certeza da qual partíamos. Esse é o drama das ideologias: chegar a uma conclusão que já existe desde o início.

Mas me lembro com saudade daquelas noites dos meus românticos 20 anos.

Fumávamos muito, malvestidos, duros, planejando ações ambiciosíssimas como, por exemplo, instalar o socialismo no país, sem armas, sem apoio sindical ou militar, tudo na base do desejo. Ninguém precisava estudar, pois a verdade estava do nosso lado. O ideologismo justificava a ignorância.

Eu olhava meus companheiros nas reuniões infinitas e pensava: "Como vamos conquistar o poder fumando mata-ratos, reunidos nesse quarto-e-sala imundo, com o sofá-cama esfiapado, como vamos dominar o Brasil sem nada?" Mas ficava quieto, com medo de ser chamado de "vacilante".

No entanto, como era delicioso sentir-se importante, como era bom conspirar contra tudo, desde o papai-reaça até a invasão do imperialismo ianque. Tudo nos parecia claro, os oradores surfavam em meia dúzia de palavras que eram a chave da tal "realidade brasileira": burguesia nacional, imperialismo, latifúndio, proletariado, campesinato etc. Nossa tarefa de comunistas era nos infiltrar "em todos os nichos da sociedade" para, de dentro, conquistar o poder. Exatamente como o PT está fazendo hoje – empregando milhares de companheiros aguerridos e "puros" dentro do aparelho do Estado. Tínhamos de nos infiltrar em sindicatos, universidades e – coisa que me deprimia especialmente – em "associações de bairro", onde eu me via doutrinando donas de casa da Tijuca sobre as virtudes do marxismo.

E todos os argumentos iam se organizando "dialeticamente" enquanto a madrugada embranquecia. Até que chegava a hora fatal: "O que fazer?" E aí... ninguém sabia nada. Na hora da solução, o branco. E tudo se esvaía porque os "fins" eram muito claros, mas os "meios" nos eram inacessíveis. Eu saía nas madrugadas, sol já raiando, e olhava os operários indo para o trabalho, fracos, ignorantes, e sorria de esperança; depois, olhava os prédios altos, o poder físico da cidade, e me arrepiava de terror: "Como poderemos desconstruir isso tudo?" E sentia o tremor da loucura.

E aí, sem soluções, pintava o desespero. As acusações mútuas cresciam, mas até os xingamentos eram previstos na cartilha marxista: acusávamo-nos de "hesitantes" ou "radicais" ou "sectários" ou "pequeno-burgueses" ou "alienados" ou "provocadores" ou "obreiristas" ou "aventureiros" ou "liberais" ou o diabo a quatro. E eu, do meu canto neurótico, pensava: "Não ocorre a ninguém que há também os invejosos, os ignorantes, os mentirosos, os paranóicos, os babacas e os FDPs?" Por que ninguém via o óbvio? Marx sufocava Freud.

Até hoje, esses vícios ainda travam a velha esquerda, misto de ignorância com arrogância.

Mas eu ainda gemo: que saudades do comunismo!... Esse surto de leninismo que incendiou a alma simples dos petistas ultimamente, esse ataque recente à "democracia burguesa" que o governo de Lula lançou contra a sociedade, me despertou uma profunda saudade... Ah, como era gostoso o nosso comunismo...

Eu andava malvestido, com minha testa alta, barba leninista, assim feito o Genoino (Genoino, mesmo de frente, está sempre de perfil, aspirando a ser medalha). Eu era comuna assim como o Luís Gushiken (ele é a cara do Ho Chi Minh), que, depois de aparelhar os fundos de pensão e bancos, declarou com charme leninista que a "liberdade não é absoluta", lembrando-me (ohhh delícia!) do tempo bom em que eu citava Lenin em francês: *"La Liberté, pour quoi faire?"* ("Liberdade, pra quê?")

Era bom ser superior a um mundo povoado de "burgueses, caretas e babacas", como eu classificava a humanidade. E todo esse charme vinha sem esforço; bastava ler um ou outro livrinho da Academia da URSS, decorar meia dúzia de slogans e pronto, eu podia andar com minha camisa de marinheiro aberta ao vento, olhando a população de "alienados", em suas vidas medíocres, pois meu mundo era mais além.

Ahhh... que saudades das sacanagens de esquerda, quando eu cortejava as meninas sem a maquiagem burguesa, a quem eu lançava a cantada infalível: "Não seja 'pequeno-burguesa' e entra aí no 'aparelho', meu bem..." Lembro também a noite mágica em que declarei a uma namorada que "nosso amor também era uma forma de luta contra o imperialismo".

Ahhh... como eu amava os operários, futuro da humanidade. Nas oficinas do jornal comuna que eu fazia, crivava-os de perguntas e agrados, sendo que os ditos operários ficavam desconfiados de tanto amor e pensavam que eu era veado e não um fervoroso comunista...

Como me alegrei quando Mao Tsé-tung proibiu Beethoven na Revolução Cultural, pensando: "Claro, temos de raspar tudo que a burguesia inventou e começar de novo": um mundo novo agrícola com homens fardados de cinza, rindo felizes.

Ahhh... como era bom ignorar as neuroses pequeno-burguesas, pois eu não era um deprimido nem narcisista nem nada; eu era apenas um comunista saudável como um cartaz de balé chinês. Amava as reuniões secretas, as discussões sem fim: "questão de ordem, companheiro!", "o companheiro está numa posição revisionista" ou "a companheira está sendo reacionária em não querer dar para mim".

E a beleza de não ter um tostão e pedir dinheiro à mãe para comprar Marlboro de contrabando (meu secreto pecado), não ter um puto e se orgulhar disso, na convivência dos botequins, olhando os operários e pensar, no cafezinho: "Um dia eles serão 'homens totais', 'sujeitos da história'", enquanto os mendigos vomitavam no meio-fio, gente que eu chamava com desprezo culto de "lumpens".

Que saudades... Tudo era possível – bastava convencer o proletariado que os burgueses malvados, aliados ao latifúndio improdutivo e dominados pelo imperialismo americano, eram a causa de seus males, pois então os proletários conscientizados tomariam o poder, organizados por nós, e tudo seria perfeito e bom.

E depois, quando a barra pesou de 68 em diante, mesmo na tragédia daqueles dias, senti a delícia meio religiosa de ser uma vítima "santificada" da violência da direita.

Era bom... era lindo... Por isso, quando vejo o comissário da Casa Civil, Dirceu, comandando essa volta ao passado, essa retomada do bolchevismo no governo PT, não me horrorizo, nem denuncio, como fazem esses jornalistas burgueses neoliberais vendidos aos patrões. Ao contrário, tenho vontade de chorar...

O Ocidente está fechado para balanço

SUBITAMENTE, FOMOS arrojados de volta a uma era pré-política. De uma forma repugnante, a verdade do mundo atual apareceu.

O que mudará em nossas vidas?

Vai mudar a idéia de uma grande pátria americana organizando a sociedade como um parque temático, um supermercado ou uma Disneylândia, vai mudar a idéia de "finalidade", de "projeto", a busca de certezas, de "sentido", a vontade de tudo explicar pela razão, o doce aroma do sucesso a qualquer preço, o *happy end*, a simetria, a lógica, o princípio, o meio e o fim, a vontade de esquecer a morte por sua transformação em espetáculo, acabarão os filmes-catástrofes (graças a Alá), a morte não mais estará num leito burguês com extrema-unção e família chorando, a morte será um cachorro pelas ruas, atacando de repente, vai acabar a busca de plenitude, sobe a fé, caem a esperança e a caridade, acaba o sonho de "solução", a idéia de "futuro redentor", acaba o sonho detergente de um mundo asséptico, sem fraturas, higiênico, a utopia do conforto total, da harmonia doce do lar, pois a miséria chegou nas asas da estupidez religiosa, vai se apagar o charme dos ricos e famosos, a ciência infalível, o ideal maquínico dos prazeres, a pansexualidade como utopia, a rebeldia, a transgressão como um sucesso ao avesso, vão acabar os desbundes como revolta, os marginais não serão mais heróis – serão ameaçadores –, acaba a esperança da revolução fácil, mágica, acaba a fácil "boa consciência" de sermos "a favor do bem", dos índios, das bichas perseguidas, dos excluídos, das baleias, acabam as pitorescas viagens ao Oriente (descarrilhou o *Orient Express*), o amor sem risco, vão entrar em crise: a arte, a idéia de beleza, acaba a *malaise* abstrata, a náusea romântica, a infelicidade vaga, a delícia das grandes dores de amor, o drama em vez da tragédia, a chanchada em vez da comédia, acaba a depressão culta que enobrece o sofredor inútil, o absurdismo como literatura, agora solto pelas ruas como uma onda de antrax, o indivíduo indivisível dará lugar ao indivíduo esfacelado por bomba, coberto de pizzas sangrentas, acaba o "outro" como figura psicanalítica, pois surgiu o horrendo "outro", sujo e mortífero, suicidando-se às gargalhadas, mudará o difuso sentimento ocidental de superioridade, a aparente tolerância e a falsa generosidade, acaba o Nada, o Tempo voltará de marcha a ré para o ano 1000, acaba a esperança de achar Deus entre as galáxias, pois Deus já está entre nós armado até os dentes, acaba a fleuma, a displicência *debonnaire*, o alívio da caridade ou mesmo a deliciosa sensação da canalhice, acaba a *coolness*, pois o homem-bomba desbancou o homem-cool, ficará mais evidente o desejo brutal dos egoístas, disfarçado de sorridente entusiasmo, seremos mais conformistas e mais medrosos, perderemos a esperança na destruição das doenças, agora com o vôo das bactérias sobre os céus da Broadway, acabarão o olhar violento das modelos nas passarelas, a democracia "de boca", leve e solta como as roupas Armani, diminuirão os paus e os arranha-céus, o tesão e as torres para atingir Deus, a presteza dos serviçais silenciosos e humildes, que ficaram inquietantes, com venenos na cozinha e facas agudas no avental, ruídos súbitos assustarão nossos corações clamando por socorro de Bruce Willis, Van Damme, Super-Homem. Acaba o tédio, volta o medo.

Dirceu e Jefferson salvaram o Brasil

Ontem falei com Nelson Rodrigues num velho telefone preto que ele atende lá no céu, entre nuvens de algodão e estrelas de purpurina. Ele riu ao telefone:

– Você só me liga quando está em crise? A crise é tua ou do país?

– Nelson, eu sou parte dos detritos da nação...

– Não faz frase, rapaz, olha a pose... Essa crise é maravilhosa, os brasileiros deviam se agachar no meio-fio e beber dessa sagrada lama... Ali está a salvação. O Brasil está assumindo a própria miséria, a própria lepra... Finalmente, os marxistas de galinheiro estão mostrando a cara, rapaz... Eles fazem parte da legião de cretinos fundamentais que infestam o país. Os cretinos fundamentais se escondem sob a capa da revolução, dos títulos acadêmicos, das togas de juízes, da faixa de presidente.

Antigamente o cretino se escondia pelos cantos, envergonhado da própria sombra; hoje, se você subir num caixotinho de querosene "Jacaré" e falar "meu povo", os cretinos formam uma multidão de Fla x Flus. Você pegue o Prestes, por exemplo; ele só fez errar na vida. Tudo o que ele quis deu zebra, de 35 até o fim... No entanto, quem falar mal do Prestes provoca arrancos de cachorro atropelado no ouvinte: "Não admito, ouviu?!" Essa crise é boa porque revela a burrice da velha esquerda. Durante 25 anos organizaram um partido operário e chamaram os intelectuais que fizeram um carnaval danado, transformando o Lula num "Padim Ciço". Mas, quando chegaram ao poder, debaixo de papel picado, resolveram se suicidar como as virgens do meu tempo: ateando fogo às vestes. Daí, a verdade inapelável e brutal: o comunista odeia o poder! Eles erram sempre, de propósito, para esconder a incompetência sob o pretexto do fracasso. Para eles o fracasso enobrece e oculta a burrice. E, em seu martírio, eles berram, orgulhosos como cristãos comidos pelos leões em filme de Cecil B. de Mille: "Fracassei em nome do povo!"

– Mas... Nelson... o proletariado sob o capitalismo...

– Pára com isso, rapaz; o homem é capitalista... Existe mercado desde o tempo dos macacos disputando minhocas no buraco... Só os cegos acreditam na "utopia" e só os profetas enxergam o óbvio. O óbvio é um Pão de Açúcar que ninguém vê. E o óbvio é que os petistas queriam fazer a "revolução" debaixo das pernas do Lula. Mas foram mexer com a única coisa que não podiam: com o canalha brasileiro. O canalha é um patrimônio da nacionalidade. Desde Tomé de Souza que roubam sem parar. Pois os canalhas estavam quietos, metendo as mãos nas cumbucas do Estado, quando de repente apareceu-lhes o Zé Dirceu, achando que ia passar-lhes o conto-do-vigário. Os canalhas olharam maravilhados a burrice lívida do Dirceu e sacaram na hora: "É tudo mané!..." Dirceu lhes esfregava milhões de reais na cara e eles piscavam cinicamente uns para os outros e sorriam, contritos: "Perfeitamente, camarada Dirceu..."

– Você acha o quê do Dirceu?

– Ele me fascina. Eu o conheci em 67, por aí... Ele vivia atracado em postes, como vira-latas... Explico: o Dirceu não podia ver um poste que ele trepava em cima e escrachava o capitalismo. Você sabe que os comunas tratam o capitalismo como uma pessoa: "Hoje o capitalismo acordou de mau humor, o capitalismo tem de morrer!!!"

"Bem, como eu ia dizendo, o Dirceu vivia trepado em postes, falando da 'utopia', que ninguém sabia quem era. Alguns sujeitos rosnavam: 'Quem é essa tal de Utopia? É mulher dele?' Pois um dia o nosso Dirceu encontrou o Lula. Foi uma festa. O Lula era o 'robô' perfeito para o Dirceu: operário, foice e martelo, barba, ignorante e sem dedo – tinha tudo para se tornar um símbolo de santidade, um messias da USP, onde as professoras se estapearam para pegar um autógrafo do 'proletário'. Dirceu doutrinou o Lula, criaram o PT, até que Lula chegou ao poder. Aí, apareceu o Dirceu 'Ricardo III' – o verdadeiro –, que esfregou as mãos: 'Oba!... Deixa comigo!!!' E jogou o Lula para córner. O Lula achou ótimo porque estava em fremente lua-de-mel consigo mesmo, segredando para dona Mariza: 'Ei, mãezinha, quem diria nós aqui, hein...?' E nem ligava: 'Deixa que o Dirceu resolve!' E ia beijar rainhas e reis, lambido pelos grã-finos internacionais.

"Foi aí que surgiu o canalha, ou melhor, o ex-canalha, porque o Jefferson entrou em cena como um Falstaff ao contrário, denunciando o comandante da 'revolução corrupta'. O Jefferson e Dirceu são a essência do teatro: protagonista e antagonista. Jefferson saiu da mentira para a verdade e o Dirceu da 'verdade' para a mentira. A maior peça do teatro brasileiro foi o duelo dos dois na Câmara. O país parou como no Brasil x Uruguai.

"Um é o espelho invertido do outro. Os dois juntos levantaram a cortina do erro brasileiro, um traçando o diagrama do sistema do Atraso e o leninista fazendo a caricatura desse ridículo sonho 'revolucionário' do qual o Brasil tem de acordar, para fazer a verdadeira 'revolução americana' de que Sergio Buarque falava. O Jefferson, que tinha passado a vida escondido na própria gordura, se esgueirando por estatais e fundos de pensão, descobriu a deliciosa euforia da verdade. Ninguém é mais feliz que o Jefferson, tendo orgasmos de denúncias didáticas para o país, abrindo o alçapão de ratos... E ninguém é mais feliz também que Dirceu, finalmente livre de sua revolução fracassada, finalmente no ansiado martírio, o único sossego dos paranóicos.

"O óbvio ululante é que eles não devem ser tratados como canalhas. Os brasileiros deviam ajoelhar-se e beijar suas mãos, pois Jefferson fez o maior tratado de sociologia da vida nacional e Dirceu fez uma revolução ao avesso – queria um socialismo stalinista e acabou fortalecendo a democracia.

"Um dia terão uma estátua de bronze – os dois sob os braços ternos de uma grande deusa nua: a República celebrando seus heróis. Rapaz, isso é o óbvio: Dirceu e Jefferson salvaram o Brasil!" E desligou.

Maldita seja a pornopolítica!

Malditos sejais, ó mentirosos, negadores, defraudadores, trampistas, intrujões, songasmongas, chupistas, tartufos, sicofantas, embusteiros e vigaristas, que a peste negra vos cubra de escaras pútridas, que vossas línguas mentirosas sequem e que água alguma vos dessedente, que vossas patranhas, marandubas, fraudes, carapetas, lérias e aldravices se transformem em cobras peçonhentas que se enrosquem em vossos pescoços, que entrem por vossos rabos, cus, rabiotes e fundilhos e lá depositem venenosos ovos que vos depauperem em diarréias torrenciais e devastadoras. Que vossas línguas se atrofiem em asquerosos sapos e bichos pustulentos que vos impedirão de beijar vossas amantes, prostitutas, barregãs e micheteiras, que vos recebem nos lupanares de Brasília, nos prostíbulos mentais onde viveis, refocilando-se nas delícias da roubalheira.

Malditos sejais, ladrões, gatunos, pichelingues, unhantes, ratoneiros, trabuqueiros dos dinheiros públicos, dos quais agadanhais, expropriais cerca de 20% de todos os orçamentos, deixando viadutos no ar, pontes no nada, esgotos a céu aberto e crianças mortas de fome, mortas de tudo, enquanto trombeteais programas populistas inócuos.

Que a maldição de todas as pragas do Egito e do Deuteronômio vos impeça de comer os frutos de vossas fazendas escravistas, que não possais degustar o pão de vossos fornos nem o milho de vossos campos, e que vossas amantes rancorosas vos traiam e vos contaminem com as mais escabrosas doenças e repugnantes feridas!

Malditos sejais, carecas sinistros, valérios sem valor, homúnculos dedicados a se infiltrar nas brechas, nas breubas do Estado, para malversar, rapinar, larapiar desde pequenas gorjetas como a do Marinho, naquele gesto eternizado na TV, até grandes negociarrões com empresas fantasmas em terrenos baldios!

Malditas sejam as caras-de-pau dos ladravazes, com seus ascorosos sorrisos frios, imunda honradez ostentada, tranqüilo cinismo, baseado na crapulosa legislação que os protege há quatro séculos sem, por compradiços juízes, legisperitos fariseus que vendilham sentenças por interesses políticos, ocultados por intrincados circunlóquios jurídicos, solenes lero-leros para compadrios e favores aos poderosos; que vossas togas se transformem em abutres famintos que vos devorem o fígado, acelerando vossas mortes que virão pelo tédio e por vossa ridícula sisudez esclerosada com que justificais repulsivas liminares e chicanas, que liberam vagabundos ricos e apodrecem pobres pretos na boca-do-boi de nossas prisões!

Malditos sejais, falsos revolucionários, medíocres carbonários agarrados em utopias velhas de um século, ignorantes que disfarçam a própria estupidez em ideologia, para os fins mais asnáticos, por meios estapafúrdios; malditos sejam os 40 mil canalhas infiltrados pelos bolchevistas-dirceuzistas-genoínicos na máquina pública, emperrando-a e sugando migalhas do Estado com voracidade e gula! Tomara que sejais devorados pelos carunchos que rastejam nos arquivos empoeirados da burocracia que impede o país de andar! Que a poeira dos arquivos mortos vos sufoque e envenene como o trigo roxo dos ratos!

Malditas sejam também as "consciências virginais", as mentes "puras" que se escandalizam com os horrores, mas nada fazem; malditos os alienados e covardes, malditos os limpos, os não-culpados, os indiferentes, que se acham superiores aos que sofrem e pecam; malditos intelectuais silenciosos que ficam agarrados em seus dogmas e que preparam a espúria reeleição dessa gente e a chegada posterior dos populistas e falsos evangélicos mais sórdidos do país!

Malditos sejam também os governistas que ousam negar o "mensalão", malditos sejam os técnicos despudorados que ostentam uma "seriedade" lógica e contábil nos fundos-de-pensão e em estatais, de onde jorrou o grosso do dinheiro do valerioduto! Malditas sejam as metáforas que escorrem dos bolsos do Lula como pequenas lesmas, gordas sanguessugas, carrapatos infectos. Que essas metáforas lhe carcomam o corpo e que seus bonés, barretes, toucas e gorros de Papai Noel demagógico lhe atazanem o crânio até ele confessar que sabia de tudo, sim! Que sua cara denuncie tudo o que ele é, desde a vermelhidão crescente de suas bochechas até as sobrancelhas de diabo que traem o sorriso populista para enganar os mais pobres!

Malditos anjos da cara suja, malditos olhinhos vorazes, malditos espertos fugitivos da cassação; anematizados e desgraçados sejam os que levam dólares na cueca e, mais que eles, os que levam dólares às Bahamas, malditos os que usam o "amor ao povo" para justificar suas ambições fracassadas, malditos severinos que rondam ainda, malditos waldomiros e waldemares que rondam ainda, malditos dirceus, arroz-de-festa de intelectuais mal-informados, malditos sejam, pois neles há o desejo de fazer regredir o Brasil para o velho Atraso pustulento, em nome de suas doenças mentais infantis!

Se eles prevalecerem, voltará o dragão da Inflação, com sete cabeças e dez chifres e sete coroas em cada cabeça, e a prostituta do Atraso virá montada nele, berrando todas as blasfêmias, vestida de vermelho, segurando uma taça cheia de abominações e de suas fornicações, e ela, a besta do Atraso, estará bêbada com o sangue dos pobres e em sua testa estará escrito: Mãe de todas as meretrizes e Mãe de todos os ladrões que paralisam nosso país.

Só nos resta isso: maldizer.

Portanto: que a peste negra vos devore a alma, políticos canalhas, que vossos cabelos com brilhantina vos cubram de uma gosma repulsiva, que vossas gravatas bregas vos enforquem, que os arcanjos vos exterminem para sempre!

Sumário

EDITORA OBJETIVA LTDA., rua Cosme Velho, 103
Rio de Janeiro – RJ – CEP: 22241-090
Tel.: (21) 2199-7824 – Fax: (21) 2199-7825
www.objetiva.com.br

Capa
Angelo Venosa

Imagem de Capa
Vênus, Sátiro e Cupidos, de Annibale Carracci, Galleria degli Uffizi, Florença

Revisão
Fátima Fadel
Lucas Bandeira de Melo
Taisa Fonseca

Editoração Eletrônica
Abreu's System Ltda

CIP-BRASIL. CATALOGAÇÃO-NA-FONTE
SINDICATO NACIONAL DOS EDITORES DE LIVROS, RJ.

J12p
Jabor, Arnaldo
Pornopolítica : paixões e taras na vida brasileira / Arnaldo Jabor. – Rio de Janeiro : Objetiva, 2006

235p. ISBN 85-7302-794-0

1. Crônica brasileira. I. Título.

06-2310 CDD 869.98
CDU 821.134.3(81)-8

Impressão e Acabamento:
psi7
Printing Solutions & Internet 7 S.A